ACHIEVERS

Achievers

Samengesteld door Dennis Storm

Lebowski Publishers, Amsterdam 2013

Omslagontwerp: Dog & Pony, Amsterdam
Foto's auteurs: Geert Snoeijer
Auteursfoto Dennis Storm: Wout Jan Balhuizen
Typografie: Perfect Service, Schoonhoven

ISBN 978 90 488 1435 0
NUR 301

www.lebowskipublishers.nl
www.top-notch.nl

Lebowski Publishers is een imprint van Dutch Media Uitgevers bv

Inhoud

Voorwoord

Het alarm van de voetbalkantine gaat af en dat is niet de bedoeling. Het raampje waardoor ik naar binnen ben geklommen zit namelijk te hoog om door naar buiten te vluchten. Ik besluit toch een aanloop te nemen, spring tegen de muur op en probeer me aan het randje van het raam vast te grijpen. Verdomme, ik ben te klein. Het bijkomend nadeel van een elfjarige.

Ik raak in paniek en ren langs de bar waarop de krukken zorgvuldig op hun kop zijn gezet door iemand met gevoel voor symmetrie, en vervolgens door de klapdeuren de gang in richting de hoofdentree. Waarom dacht ik dat ik die deur zonder sleutel kon openen? Jeugdig optimisme. Het is de zomervakantie van 1997 en ik heb zojuist in een voetbalkantine ingebroken. De kantine is willekeurig, deze staat nu eenmaal in de buurt van waar ik woon. En iets stelen is ook niet per se nodig – al zou ik een volle kassa of een Rembrandtje niet achterlaten. Niets van dat, deze inbraak pleeg ik enkel om ervaring op te doen.

Ik ren terug het bargedeelte van de kantine in, als ik plots een man opmerk. Hij staat aan de andere kant van het voetbalveld, achter het hek dat ongewilde bezoekers moet tegenhouden. Godzijdank zit het hek op slot. Maar wanneer zijn ogen de mijne kruisen breekt het zweet me uit. Het alarm lijkt steeds harder te loeien, gal klimt omhoog mijn slokdarm in en de zenuwen razen door mijn slungelige lijf. Als een in het nauw gedreven hyena trek ik een barkruk van de bar en smijt hem met al mijn kracht door een van de vijf grote ruiten die de kantine uitzicht geven op het hoofdveld. Het raam klapt in grote stukken uit elkaar en klettert in kleinere stukken kapot op de vierkante tegels van het terras. Het is enkel glas – eindelijk zit er eens iets mee vandaag. Even blijf ik versuft stilstaan, maar het geluid van het kletterende glas is zo snel als het kwam weer verdwenen en overstemde het alarm helaas maar een seconde of twee.

Voorzichtig manoeuvreer ik me tussen de overgebleven punten van het kapotte glas door naar buiten. Terwijl ik wegren, kijk ik een laatste keer over mijn schouder naar de man aan de andere kant van het voetbalveld. Hij heeft inmiddels een mobiele telefoon aan zijn oor. Toch die pech weer: van het handjevol mensen dat in die tijd een mobiele telefoon rijk was, is deze nieuwsgierige lul met zijn *extra large* poedel – of misschien was het wel zo'n Samson-hond – er precies een. Langs afvalcontainers en uit het veld getrokken voetbalgoals kom ik achter de kantine terecht; recht tegenover het raampje waardoor ik binnen ben gekomen is een stuk hek waarvan ik het prikkeldraad bij aankomst zorgvuldig heb weggeknipt. Ik klim eroverheen, laat me aan de andere kant vallen en sprint langs de struiken en bomen, en later door de straatjes van Loosduinen naar huis. Pas wanneer het schelle geluid van het alarm vaag in de verte klinkt kom ik wat op adem.

Thuis aangekomen vraagt mijn moeder waarom ik zo bleek zie. Omdat ik een tijdje heel hard gelopen heb, antwoord ik, want tegen je moeder lieg je niet. Op mijn kamer doe ik de zwarte capuchon af en trek ik de bijpassende strakke leren handschoenen uit. Het was al weer de derde keer dat een goed geplande poging om ergens in te breken was mislukt en daarmee was het geloof dat ik ooit een echte meesterinbreker zou worden compleet verdwenen.

Die zomeravond in 1997 zette ik een streep door de eerste van mijn drie jeugddromen. Iets wat ik overigens een paar jaar later ook bij mijn tweede jeugddroom moest doen omdat ze er tijdens de medische keuring van het Korps Commandotroepen achter kwamen dat mijn ogen met een magere -2.5 niet aan de eisen voldeden. Voor de rest was ik fysiek in orde. Ik was jong, volgens de psychologische test helder van geest en ik wilde niets liever dan deel uitmaken van een team hoogopgeleide krijgers die overal ter wereld uit helikopters springen om de wereld te redden. Helaas heb je daar dus ogen voor nodig die zonder hulp van een bril of contactlenzen naar behoren functioneren.

Geen probleem, zou je denken. Er is tenslotte nog één jeugddroom over. Gek genoeg was de laatst overgebleven droom nu net die ene die ik het minst serieus nam. Schrijver worden leek me namelijk onmogelijk. Niet zozeer omdat de liefde ontbrak, integendeel. Het waren de schrijvers die ik voor school moest lezen – de voorbeelden – met wie ik mij simpelweg niet kon identificeren. Deze oude mannen straalden op televisie een soort literaire superioriteit uit, ze praatten in een taal die ik wel herkende maar aan hun zinnen kon ik geen touw vastknopen. Ze keken in de camera met een blik alsof hun vrouw een paar minuten eerder door een bende gorilla's was verkracht en schreven niet voor hun plezier of omdat ze gelezen wilden worden, maar omdat ze het móésten, omdat ze anders een pijnlijke dood zouden sterven. Of zo. Als ik ook maar aan schrijver worden dacht, bekroop me het gevoel van een jongetje dat steevast niet gekozen werd met gym. In ieder geval was dat voor mij reden genoeg om een zijspoor te kiezen: journalistiek. Non-fictie en binnen de lijntjes schrijven, iets wat ik niet veel later inruilde voor het schrijven van series en programma's voor de televisie.

Ondertussen zag ik het speelveld van de literaire wereld zich verbreden. Nieuwe, jonge schrijvers dienden zich aan, ze schreeuwden van de daken dat hun boek in de schappen lag en dat ze gelezen en verkocht wilden worden. Ze zaten aan de tafels van praatprogramma's, relativeerden het hele schrijverschap en hun boeken werden tot ergernis van sommige oudgedienden bestsellers.

Ik zag ze komen, de dronkenlappen, vechtkunstenaars, straatschoffies, presentatoren, rappers en jonge vrouwen – de een lief als een kitten, de ander grof gebekt. Als een groeiend leger jonge honden met liefde voor het geschreven woord werden ze zichtbaar. Met hun debuut hoog en trots boven het hoofd geheven kwamen ze om beurten het podium op en sprongen in het diepe. Wie het waren? De Achievers. Met de letterknechten van Lebowski & Top Notch voorop.

Tegenwoordig kun je met een bodemloze put aan geluidsfragmenten op de radio je verhaal vertellen, je stem en muziek tot in perfectie digitaal autotunen, of in *shiny* HD op de televisie je punt maken – maar probeer het maar eens in louter geschreven woorden. Zinnen gedrukt in een saai zwart lettertype op droevige matwitte pagina's. Dat is lef hebben. En misschien wel meer rock & roll dan ooit.

De Achievers houden het boek levend en blazen weggestopte jeugddromen nieuw leven in. En daarom hebben we de ouderwetsche bundel weer uit de kast getrokken. Of ze nu korte verhalen schreven, songteksten of gedichten – alles kon en alles mocht, gelijk het adagium van de Achievers. De jonge schrijvers der Nederlandsche Literatuur, verzameld in een boek. Een loflied op het geschreven woord.

Bij dezen.

Dennis Storm

James Worthy

Vakantieliefdes

Beste vakantieliefdes,

Sorry dat ik nooit een brief heb teruggeschreven en als een harteloze bruut ben doorgegaan met mijn miezerige leven. Fuck, dat rijmt. Ik mis jullie, stuk voor stuk. Vorige week dacht ik terug aan al die naar zonnebrand ruikende dagen, stiekem tongen onder een strandlaken en het ongemakkelijk schuifelen in openluchtdisco's. De boze blikken van jullie oudere broers als ik triomfantelijk met mijn vingers in de richting van hun reukorganen ging. De zomervakantie is een walgelijk overgewaardeerd iets. Wij gingen steevast drie weken op vakantie en dat betekende dat ik ook drie weken thuis moest zitten. Thuis, terwijl al mijn vrienden op vakantie waren. De Amsterdamse straten waren zonnig maar leeg en in mijn boomhut was het koel, maar zo uitgestorven. In die boomhut dacht ik aan ons, aan jullie, mijn campinglieverdjes. De meisjes die mij klaarstoomden voor de grotemensenliefde. De meisjes, sommigen nog met beugel, die mij door die laatste drie weken van de zomervakantie heen hebben getrokken. Ik dank jullie, vijftien jaar te laat, maar ik dank jullie.

Waarom ik nooit iets terugschreef? Uit angst. Jullie waren namelijk zo belachelijk veel leuker dan jullie leeftijdsgenoten in Amsterdam, maar jullie waren onbereikbaar. Onbereikbare dingen moet je loslaten. Zo snel mogelijk. Jullie woonden in Nancy, Parijs, Marseille, Perpignan, Gent, Gdansk en Newcastle. De andere kant van de wereld dus. Natuurlijk had ik wel een keer de trein kunnen pakken, maar waarom? Ik zit een levenslange straf uit in Amsterdam, ik ben hier geboren en ik ga hier dood, ik had jullie alleen kunnen zien tijdens mijn verlof. Kortstondig zou ik dan worden herinnerd aan het pad dat ik niet durfde te bewandelen. Een mooier pad, en wellicht een mooier leven. Misschien had ik dan nu een prachtige boerderij in Noord-Frankrijk. Ik denk dat ik geknipt zou zijn voor het boerenleven. De stad heeft mij al van jongs af aan in een houdgreep, de stad wurgt, weilanden en akkers wurgen niet. Gras stimuleert en is zacht, de Amsterdamse stoep houdt tegen en deelt schaafwonden uit. Ik ben te gevoelig voor al die stedelijke prikkels. Waarom hebben jullie mij nooit gered? Ik wilde een boerderij. Hielden jullie wel van mij?

Ik wilde kippen, koeien en van die clitorisroze varkentjes. Een hooischuur. En jullie. Ik heb niet veel nodig, maar in de stad moet je alles willen. Al mijn vrienden willen alles, ik wil gewoon een boerderij. Met een rieten dak, donkergroene deuren en verse eieren. Ik eet geen eieren, ik heb er niets mee, maar ik gun jullie verse eieren. Stadse mensen zoeken hun hele leven naar een speld in een hooiberg, ik wil gewoon een hooiberg. En van die koeien die de hele dag liggen te zonnen. Want dat deden wij ook. Zonnen en zoenen onder badlakens met zeezout in onze haren. Van mijn zakgeld kocht ik zonnepitten, kauwgum en flessen huismerkcola. Voor jullie. We hadden geen kut te bespreken, we waren tieners, dus zogen we op zonnepitten, kauwden we op kauwgum en dronken we prik. We smakten onze gesprekken, werden bruin en als de campingdisco openging douchten we samen de zonnebrand van onze lichamen. In een wolk van haarlak kamde ik mijn blonde krullen in een scheiding en niet veel later stonden we op een betonnen dansvloer stilstaand te dansen. Twee van jullie droegen lakschoentjes, ik mis lakschoenen. Drie van jullie hadden een diadeem in het haar, ik mis diademen niet. En dan dat ene moment. Dat magische moment. Dat een jongeman zich neerlegt bij het feit dat hij een stijve plasser van slowdancen krijgt en dat hij er dan mee gaat prikken in jullie middenrif. Je reinste tieneracupunctuur. Sorry voor het prikken, nee niks sorry, het was een compliment. Het grootste compliment dat je van een man kan krijgen.

Bedankt voor de vlinders en bedankt voor jullie brieven. Dankzij jullie kalverliefde hunker ik, een volwassen man, nog steeds naar een boerderij. Met van die koeien die de hele dag liggen te zonnen, want dat deden wij ook. Zonnen en zoenen onder badlakens met zeezout in onze haren.

Arie Boomsma

De man met de glimlach

Mahmoud bekijkt zichzelf in de spiegel van de badkamer die hij zojuist heeft schoongemaakt. 'Zo moeten de farao's eruit hebben gezien,' fluistert hij. De gedachte aan reïncarnatie dringt zich op, maar Mahmoud concentreert zich alweer op de wasbakken die hij nog moet schrobben. Hij is goed in zijn werk. Dat blijkt ook uit de evaluatieformulieren die hotelgasten soms achterlaten. *De kamer was steeds weer verrassend schoon. Opgeruimd, alsof we hem keer op keer voor het eerst betraden.* Dat soort dingen noteren de mensen. Mahmouds manager had hem een paar van de opmerkingen voorgelezen. Iemand had opgeschreven: *De man met de constante glimlach is een aangename aanwezigheid in het hotel. Hij zal een dag nooit verpesten.*

De manager had Mahmoud in zijn wang geknepen nadat hij die opmerking voorlas, alsof hij zich er persoonlijk van wilde verzekeren dat die glimlach inderdaad constant op het gezicht van Mahmoud aanwezig was. Alsof de glimlach tastbaar was.

Het is een chic hotel. Vier sterren, aan de Rode Zee. Bijna vijf jaar al weer maakt hij er de hotelkamers schoon. Bij het ontbijt serveert hij koffie. Tijdens het avondeten meloen. Soms verwelkomt hij nieuwe gasten met een alcoholloze cocktail. Guavesap meestal. Met een vrolijk gekleurd rietje. Hij moet ervoor zorgen dat alles in orde is, dat de gasten het naar hun zin hebben. Hun verblijf moet zo aangenaam zijn dat ze terug zullen komen. Hij is er persoonlijk verantwoordelijk voor dat de hotelgasten steeds opnieuw terugkomen. Daarnaast moet hij de bezoekers van het hotel opvoeden, ervoor zorgen dat zij een beetje van hun westerse burgerlijkheid inruilen voor de Egyptische charmes, de koninklijke elegantie van de oude farao's. Burgerlijkheid is de vijand van de mens. Mahmoud straft de hotelgasten voor hun burgerlijkheid en leidt ze op in klasse. Net als een hond moet ook de mens zo nu en dan gestraft worden. Afgericht. Maar Mahmoud is zich ervan bewust dat het straffen subtiel moet zijn. Kleine hints kan hij geven, geen oorvijgen of verbale bevelen. De mensen zijn tenslotte op vakantie. Het is geen schoolreisje.

Als hij klaar is met de badkamer loopt Mahmoud naar de ladekast. Zo doet hij dat elke dag. Hij trekt de bovenste la open en ruikt aan het ondergoed van de hotelgasten. Dit is hoe burgerlijkheid ruikt, weet hij inmiddels. Naar goedkope wasverzachter. Hij weet van wie deze kamer is. Oostenrijkers zijn het. De vrouwelijke helft van het stel, ze zijn duidelijk al jaren getrouwd, noemt hem Mammoet, zoals het dier. Veel westerse vrouwen spreken zijn naam zo uit. Hij ergert zich daar allang niet meer aan, ziet zichzelf ook het liefst zo, als een groot sterk beest, uniek, omdat alle anderen van zijn soort zijn uitgestorven.

Vier overhemden heeft Mahmoud. Hij werkt zes dagen per week. 's Avonds hangt hij de overhemden in zijn badkamer zodat ze min of meer gestoomd worden als hij zich wast met heet water. Wanneer een van de overhemden onfris ruikt, spuit hij er wat Jean-Paul Gaultier op, een geurtje dat hij een jaar eerder kreeg van een vrouw uit Düsseldorf. Ze had het voor haar man gekocht, vertelde ze hem, als cadeautje voor z'n verjaardag. Maar de man vond het een geurtje voor homoseksuelen en had het teruggegeven. Nu was het voor Mahmoud. Hij kreeg vaker cadeautjes. T-shirts met de handtekeningen van een heel gezin erop, eau de colognes, veelal gebruikt, boeken met een handgeschreven dankwoord erin en tekeningen van kinderen, duidelijk gemaakt in opdracht van de ouders. Regelmatig lieten de hotelgasten ook dingen achter in hun kamers. Douchegel, shampoo, scheerapparaten en zwembroeken die nog te drogen hingen terwijl de koffers al weer werden ingepakt. Die zwembroeken en de scheerapparaten, dingen waar mensen nog wel eens achteraan wilden bellen, levert hij in bij z'n manager, de andere dingen neemt hij mee naar huis. Soms geeft hij ze weg aan de buren. 'Mahmoud, heb je nog een lekkere shampoo voor ons,' roepen ze hem vaak op straat al toe. Niet al zijn buren hebben werk, en als ze het wel hebben is het zelden bij een chic etablissement als het Geigenberger. Hij is een man met aanzien in de straat.

Met enige regelmaat deelt Mahmoud het bed met vrouwelijke hotelgasten. Soms komen ze alleen naar Egypte, maar het gebeurt ook wel eens dat hun man is meegereisd en een paar dagen op duiksafari gaat met andere mannen, waardoor de vrouwen alsnog alleen zijn. Feilloos voelt hij aan of het kan of niet, of hij een risico neemt door het bed met een westerse vrouw te delen. Hij ziet ook dat deel van zijn werk als het opvoeden van de westerling. Het straffen van de westerse man, die zijn vrouw alleen laat. Soms straft hij ook de vrouw op dat soort momenten. Misschien niet voor haar burgerlijkheid, ze ligt tenslotte met hem de liefde te bedrijven, maar er zijn genoeg andere dingen waarvoor je de medemens kunt straffen. Egocentrisme, ijdelheid, de penetrante geur van een vagina die te lang op non-actief staat. Of het gemak waarmee ze geld uitgeven. Alsof het Egyptische geld geen echt geld is, maar uit de doos van een Monopolyspel komt. Maar ze kopen er geen waardigheid mee, geen stijl. Het is maar zeer de vraag of de westerling ooit het niveau van de oude Egyptenaren kan bereiken, maar Mahmoud zal er alles aan doen ze een eindje op weg te helpen. Ook dat is service verlenen. Hij maakt schoon, serveert, heet welkom en straft. En hij is er goed in.

Mahmoud raakt zelden gehecht aan de vrouwen. Hij voert een taak uit, daarbij is weinig ruimte voor emoties. Ook in de rest van zijn leven is daar normaal gesproken weinig ruimte voor. Maar nu ervaart hij voor het eerst iets wat misschien wel verliefdheid is. Verlangen. Dat beangstigt hem. Het is moeilijker de medemens te straffen wanneer er liefde in het spel is.

De vrouw in kwestie is beeldschoon, een Finse die luistert naar de betoverende naam Katja, en aanzienlijk minder burgerlijk is dan de meeste anderen vrouwen in het hotel. Hij merkte het toen hij de eerste keer met haar de liefde bedreef. Ze kenden elkaar een week. Haar man was gaan duiken. Rond halfvijf zou hij terug zijn. Meestal hingen de duikende hotelgasten nog een tijdje bij de duikschool rond, een biertje erbij. Ze vertelden elkaar over de vissen die ze gezien hadden, dolfijnen, als het meezat. De kans was groot dat Katja's man pas tegen etenstijd weer terug zou zijn, maar dat risico nam Mahmoud liever niet. Het was niet nodig ook. Zelden was hij zo gespannen geweest. Nog geen zes minuten had het geduurd voordat hij kermend klaarkwam. Het had een beetje pijn gedaan, al kan dat ook de schaamte zijn geweest. Hij had zich verontschuldigd en haar een herkansing beloofd. Het leek haar weinig te doen. Kennelijk maakte het Katja niet uit hoe lang de seks hen bezighield, als ze Mahmoud maar in haar omgeving had. Een burgerlijke vrouw zou woedend worden, waar voor haar geld eisen, zoals Mahmoud de hotelgasten soms hoorde doen als er iets mis was met de rijst bij het avondbuffet, of als de kip te droog was. Soms viel de stroom uit, dan was het misschien nog wel het ergst. 'We betalen voor een goed hotel, en in de brochure staat dat er wifi is,' schreeuwden ze dan. Maar Katja schreeuwde niet. Ze bleef uiterst kalm, glimlachte toen hij haar beloofde de volgende dag terug te komen.

Hoe heeft het zover kunnen komen, vraagt hij zich nu af. Wat maakt deze Finse vrouw zo anders dan de rest? Hij denkt aan de avond dat hij haar meenam naar een restaurant in zijn eigen buurt, een paar dagen geleden. Ver van het hotel, een plek waar geen toeristen komen. Ze was angstig geweest. Niet om de blikken van al die exotische mannen, maar om het voedsel. Zonder enige terughoudendheid had ze hem verteld dat ze, na een eerder bezoek aan Egypte, op de terugweg een keer overvallen was door een acute vorm van diarree. Ze was nog opgestaan in het vliegtuig, het gangpad door gerend, maar toen ze in de rij moest gaan staan wachten, stroomden de excrementen als een bosbeek langs haar blote benen. De korte broek die ze droeg had ze weg kunnen gooien. In een reserve-outfit van een van de stewardessen had ze de reis afgemaakt. Ze was uit voorzorg naar voren geplaatst, dicht bij de wc.

Hij bewonderde haar om dat verhaal. Die ochtend had hij het ongemakkelijk gevonden Katja en haar man te bedienen. Hij had geen oogcontact durven maken. Wel had hij geglimlacht. Als er niets anders meer is om je achter te verschuilen, is er altijd nog de glimlach, wist hij inmiddels.

Tijdens zijn middagpauze wandelt Mahmoud wat over het terrein. Het ligt er mooi bij. Nergens in de wijde omgeving is het zo groen. Het hotel heeft zelfs een golfbaan, toch niet gering voor een plek die tien jaar eerder nog woestijn was. Woestijn aan zee.

In de schaduw van een palmboom eet hij abrikozen. De pitten rolt hij in een servetje. Die zal hij straks weggooien. Hij heeft wel eens overwogen de westerling ook in dat opzicht op te voeden. Ze laten hun afval vaak achter op het strand, aan de baai. Plastic flessen, glazen, flacons zonnebrandcrème, alles eigenlijk wat ze niet meer nodig hebben.

In de verte, op het strand, ziet hij een groep jongeren rennen. Fransen, weet hij. Ze zijn rumoerig. Toch bewondert hij hun levenslust. De jeugd is zich niet bewust van haar sterfelijkheid. Hij verlangt soms terug naar de tijd dat hij zelf nog zo in het leven stond. Alsof alles mogelijk was. Westerse kinderen houden dat gevoel langer vast dan hun Egyptische leeftijdgenoten. Sommige westerlingen laten het zelfs nooit meer los.

'Mahmoud,' hoort hij plotseling iemand roepen. Hij kijkt achter zich. Katja zwaait enthousiast. Haar man knikt hem toe. Een beetje verlegen, maar niet onvriendelijk. Het liefst zou Mahmoud wegrennen, maar waar naartoe? 's Avonds bij het eten zouden ze hem alsnog zien.

'Dit is Jolkert,' stelt Katja haar man aan hem voor. Hij schudt de man de hand, herhaalt zijn naam. Een opmerkelijke naam, vindt hij. Alsof ze zijn gedachten leest, legt Katja uit dat het geen typisch Finse naam is. Daarom vonden ze elkaar aanvankelijk zo leuk, vertelt ze. Katja en Jolkert, twee Finnen met namen die in Finland zelden voorkomen. Het exotische verbroedert. Mahmoud denkt aan een boek dat hij vond op de kamer van een Amerikaan. 'Niets zorgt voor meer verbondenheid dan een gedeelde vijand', stond erin. Het is de enige zin die hij onthouden heeft. Zelfs de titel is hem niet bijgebleven.

'Mammoet,' zegt Jolkert. 'Van het buffet, toch?' Hij geeft Mahmoud een klap op z'n schouder. Speels, maar harder dan verwacht. Katja lacht. 'Zien we je vanavond?' vraagt ze. Mahmoud merkt dat hij kleurt, maar knikt. Hij is elke avond bij het diner. Waarom vraagt ze dat nu zo specifiek? Die man, deze Jolkert, respecteert hem niet, zoveel is duidelijk. Mammoet, van het buffet. Denigrerend is het, alsof zijn werkzaamheden beperkt blijven tot het serveren van watermeloen bij het avondeten.

Direct na zijn pauze loopt hij naar de kamer van Katja en Jolkert. De minibar moet worden bijgevuld. En hoewel het ten strengste verboden is de kamer af te sluiten tijdens het bijvullen, doet Mahmoud de ketting op het slot. Zodra hij twee nieuwe flesjes water, een Mars en een blikje amandelen in de ijskast heeft gelegd, loopt hij naar de badkamer. Hij ziet een roze en een blauwe tandenborstel staan. Walgelijk voorspelbaar, vindt hij. Het valt hem tegen van zijn Katja, al komt het hem nu wel enigszins goed uit. Hij ritst zijn broek los. Nog een keer kijkt hij om de hoek of de ketting inderdaad in het slot van de kamerdeur hangt. Daarna schuift hij zijn onderbroek naar beneden. Het kost even moeite maar dan verdwijnt de kop van de blauwe tandenborstel achter zijn kringspier. 'Mammoet, van het buffet, toch,' herhaalt hij een paar keer met een kinderachtig stemmetje. Hij kijkt naar zichzelf in de spiegel, zoals hij dat elke dag een paar keer doet. Er is iets veranderd. Het is niet alleen die tandenborstel in zijn achterste. Als hij heel eerlijk is, moet hij toegeven dat er vaker tandenborstels tussen zijn billen verdwijnen. Nee, diep vanbinnen heeft hij het gevoel Katja te verraden. Een gevoel van teleurstelling is het. Ja, dat nog het meest. Hij stelt teleur. Nooit eerder heeft hij het zo sterk ervaren. 'Zien we je vanavond?' had Katja hoopvol gevraagd. En plotseling weet hij zeker dat ze niet bij het avondeten bedoelde.

Daar staat hij dan. Midden in de nacht. Zijn werkkleding nog aan. Hij legt zijn oor tegen de hotelkamerdeur. Niets. Voorzichtig maakt hij de deur open met zijn loper, zoals hij dat eerder op de dag nog deed om de minibar bij te vullen. Het is donker binnen. Alleen in de badkamer brandt een lamp, het douchelicht zo te zien. Mahmoud vindt het een verspilling van de elektriciteit, maar weet dat veel hotelgasten dat licht 's nachts laten branden zodat ze de wc kunnen vinden in het donker van een kamer die ze niet gewend zijn. Iemand snurkt. Als Mahmoud dichter bij het bed komt, hoort hij dat het de man is. Hij betrapt zichzelf erop dat hem dat teleurstelt. Als zijn ogen helemaal aan het donker gewend zijn, loopt hij naar de kant van het bed waar Katja ligt te slapen. Hij gaat op de rand van het bed zitten, doet zijn schoenen en sokken uit. Daarna ook zijn broek en het overhemd dat hij draagt. In zijn onderbroek gaat hij naast Katja liggen. Ze wordt wakker, staart hem enigszins verschrikt aan. Daarna kijkt ze naar haar man, aan de andere kant van het bed. Die slaapt nog. Ze glimlacht naar Mahmoud. Er gaat iets door hem heen dat hij niet kan plaatsen. Misschien is het geluk. Zachtjes vlijt hij zich tegen haar aan. Katja's man draait zich om. Even snurkt hij niet meer, maar al snel pakt hij het ritme weer op. Mahmoud wordt er stil van. Hij voelt de handen van Katja over zijn lichaam gaan. Aan het begin van de dag heeft hij zich ingesmeerd met een geparfumeerde lotion die gasten uit Frankrijk in hun kamer hadden laten staan. *Nutrition en profondeur*, stond erop. Hij denkt aan de melkbaden die de oude farao's namen in hun tijd, laat zich lange tijd strelen. Pas als Katja de bewegingen die haar handen over zijn lichaam maken begint te herhalen, draait hij zich om. Noem je het bij geluid ook camouflage, vraagt hij zich af terwijl hij op het ritme van de snurkende Jolkert bij haar binnendringt.

Karin Bruers

Two fat ladies

Ik ben begin twintig als ik een zomerbaantje in Spanje krijg aangeboden. Hotelentertainer, vijf maanden lang sporten en feesten organiseren. Sporten is geen probleem en feesten organiseren ook niet, zolang ik er maar niet zelf aan mee hoef te doen. Ik ben meer toeschouwer dan deelnemer. Ik mis het gezelligheidsgen. Ik ben onhandig in de intermenselijke communicatie en ik kan dat niet compenseren met drank, want een ander ontbrekend gen zorgt ervoor dat ik niet tegen alcohol kan. Op een feest ben ik altijd degene die zich het minst lijkt te vermaken, zelfs op mijn eigen verjaardag. Maar dat was geen belemmering om de baan aan te nemen. Na een spoedcursus allround hotelentertainer van een week in Barcelona, gegeven door een Belgische mafkees en een honderd kilo zware vrouwelijke Duitse worstelaar die de helft van de tijd zwaar in je oor stond te ademen, word ik uitgezonden naar Mallorca. Hotel Delfin Azul, een keurig driesterrenhotel waar enkel Engelse gasten komen, voornamelijk jonge families.

Pepe en Manolo van de receptie zijn de eersten die me begroeten. Ze komen van achter hun balie vandaan en met twee snorkussen de man voel ik me erg welkom. Dat gevoel neemt al snel af wanneer Pepe me aan Laura van de administratie voorstelt, de chagrijnige versie van Nana Mouskouri, of, voor de jongere lezers, een exacte kopie van de dame die '*computer says no*' zegt in *Little Britain*. Ze zit in een klein raamloos kantoor achter de receptie, gelukkig buiten het zicht van de gasten. Bij het voorstellen kijkt ze over haar bril heen, checkt me van top tot teen en gaat verder met haar bonnetjes en telmachine. Als we doorlopen blijft haar knoflookgetinte transpiratiegeur ons nog lang achtervolgen.

We gaan naar de volgende deur, *la Dirección*. Een klein, gedrongen typisch Spaans mannetje, strak in het pak (met dit weer) heeft duidelijk even geen zin in *la animadora*, zoals Pepe me voorstelt. Een snelle korte hand, 'señor Cano', en met een *mañana* staan we weer buiten. Ik vind dat ook wel prettig. Ik hou niet van stugge, norse mannetjes en vooral niet als ik hun taal niet spreek. Door de spanning zeg ik dan overal *si* op en voordat je het weet sta je zijn auto te wassen.

In de keuken gaat het er vrolijker aan toe. Ik krijg gelijk een lunch. De haantjes zijn helaas op, zegt Juan, de chefkok, maar ze hebben nog wel het vrouwtje van het haantje. Maakt mij niet uit, ik proef toch geen verschil tussen haantje of kip. In mijn beginners-Spaans zeg ik in plaats van 'doe mij dan maar een *pollo*' joviaal 'doe mij dan maar een *polla*'. Ik loop hiermee recht in Juans val. Ik zei het woordje 'kip' achterstevoren. Dezelfde letters maar een heel ander soort vlees. Alle koks, en zelfs Bueno de Mesquito aan de afwas, exploderen in een bulderlach die zo'n beetje tot het eind van het seizoen heeft doorgeklonken.

Ik maak me in een paar weken het Spaans eigen en ook het entertainen. Overdag ben ik druk in de weer met posters maken, fitnessles, waterpolo en spelletjes met de kinderen. Eigenlijk geef ik niks om kinderen maar ik merk al snel dat ik bij elke aai die ik over het kinderbolletje geef, ook meteen de ouders aai en dit is weer goed voor de evaluatie-enquête wanneer ze vertrekken. Het waren sowieso de jaren waarin je kinderen nog onbeperkt kon aaien en als ze niet luisterden met goedvinden van de ouders een enorme oplawaai kon verkopen. Opvoeden is de laatste jaren een stuk moeilijker geworden.

'S Avonds moet ik omzet maken van Señor Cano. Het showprogramma dient goed te worden uitgebalanceerd, want als het te leuk is dan drinkt er niemand, maar als het slecht is, komen ze de volgende dag niet terug en zijn ze in de *puerto* of de *pueblo* hun geld aan het uitgeven. Al doende leer ik. Een flamencoshow is altijd goed voor de omzet. Want de vrouwen, die toch al geen drinkers zijn, zitten ademloos naar de show te kijken terwijl de mannen het na de tweede tapdans wel gezien hebben en naar de bar vertrekken. En als ze daar lang genoeg gehangen hebben is er altijd wel een die tot algehele hilariteit een rondje mee wil dansen. Of het nu flamenco of cabaret is, gasten mee laten doen is essentieel, dat zorgt voor een uitgelaten nazit. Maar als je wilt dat ze meedoen, de mannen dan, want die zijn het grappigst, moet je zorgen dat je er zelf niet al te sexy bij loopt, anders mogen ze van hun vrouw niet meedoen. Dus niet in een strak, niets verhullend pakje het nummer *Vogue* van Madonna doen, maar een slapstickachtige opera-imitatie van Montserrat Caballé in een jurk die hoog gesloten is en met een paar wratten in je gezicht ter grootte van een flinke aambei. Aan het eind van het seizoen had ik dat nummer zo vaak gedaan, dat ik de opmerking kreeg dat ik iets met mijn zangstem moest doen, want die leek sprekend op die van de dikke operazangeres met die wratten uit Barcelona.

Op zekere dag worden de hotelgasten onrustig. Ik hoor ze achter mijn rug om fluisteren. Soms kijken ze mij aan en schudden het hoofd. Na enig doorvragen stuit ik op het probleem. Het zijn Engelsen en Engelsen willen bingo. *So bingo it will be.* Dat kan niet zo moeilijk zijn. Kaartjes verkopen, balletjes draaien en nummertjes omroepen. Ik ga in overleg met el señor Cano. *Muy bien*, als het hem maar niks kost, hij er niks voor hoeft te doen en ik alle prijsjes in de hotelshop koop. Receptie-Pepe regelt voor mij een bingomolen met balletjes en bingokaarten. Ik mag geen geldprijzen geven, dat is verboden in Spanje, want dan is het gokken. Ik heb er zin in, eindelijk een keer een avond waarop ik niet hoef te improviseren met de drie hoedjes, een sjaal en een rol crêpepapier.

Ik maak grote posters met 8.30 TONIGHT BINGO. Ik koop in de hotelshop een luchtbedje, strandbal, fles sangria, een stapeltje ansichtkaarten met postzegels en nog wat Spaanse souvenirs. Ik hang voor de gezelligheid nog een paar vlaggetjes op bij de dansvloer en het feest is georganiseerd. Ik word er steeds beter in.

Het is een mooie zomeravond, er hangt een zwoele rust in de lucht. Ik zie om halfacht de eerste gasten met hun stiften al klaarzitten voor de bingo. Als ik het zo tel ben ik in ieder geval uit de kosten. Misschien verdien ik er nog iets aan, helemaal niet aan gedacht. Ruim voor acht uur begint de zaal vol te lopen. Echt vol, niet alleen de gasten van mijn hotel, maar alle Engelsen van het eiland worden als een magneet naar mijn bingo getrokken, lijkt het wel. Alle tafeltjes zijn in een mum van tijd bezet, de bar zit vol, er worden statafels bijgeschoven, en de speakers op het terras worden aangesloten. De gasten staan op zijn Brits in een tientallen meters lange *cue* om bingokaarten te kopen. Vaak met tien tegelijk. Ik doe het geld eerst in mijn portemonnee, maar die raakt al snel vol en ik stop het overige geld in mijn bh en in mijn broek. Ik heb nog geen derde van het publiek kaarten verkocht, of mijn bh heeft al de omvang van een dubbele F. De rek is er bijna uit. Dus met een '*Sorry, back in a minute*' ren ik naar mijn kamer. Daar aangekomen gooi ik al het geld in de wasbak. Ik zie mezelf in de spiegel het geld uit mijn bh en broek trekken, als een maniakale draaideurcrimineel die net een benzinestation heeft overvallen. Ik ga op de rand van mijn bed zitten. Het zweet gutst van mijn lijf, de druppels hangen aan mijn oorlellen. Niet alleen van de warmte, maar ook door de angst dat ik straks gelyncht word vanwege mijn schamele prijsjes. Ik durf niet meer naar beneden. Ik moet meer prijzen hebben. Ik begin op mijn kamer naarstig naar prijsjes te zoeken. Ik heb nog een dichte fles zonnebrandolie en een zak drop uit Nederland. Ik ren door naar de bar om te zien of zij nog iets hebben. Godzijdank staat Antonio te oberen. Antonio is niet bepaald de Spanjaard uit onze natte dromen. Met zijn korte beentjes en bolronde buikje is hij meer het type Sancho Panza en dan zo scheel als een otter, met dikke positieve brillenglazen die alles vergroten. Toen ik hem voor het eerst ontmoette, vlak na de pollo-koks, dacht ik dat hij ook een geintje uithaalde, maar gelukkig stond Pepe achter hem te gebaren dat hij er echt zo uitzag. Antonio is een heel hoffelijk en gedienstig mannetje. Dat is zo fijn aan Spaanse obers, het zijn stuk voor stuk vakmensen, niet de verveelde studenten door wie je in Nederland met tegenzin bediend wordt. Hij regelt een paar flessen champagne en wijn. Ik moet nog twee keer naar mijn kamer om mijn bh en broek te legen en dan kunnen we beginnen.

In plaats van één prijs per kaart doe ik er drie: één rijtje vol, goed voor de strandbal; twee rijtjes vol, de fles sangria, en een volle kaart het luchtbed. Dan kan ik eventueel een ronde wijn doen, daarna de ansichtkaarten met postzegels, een champagneronde en ik heb ook nog die andere Spaanse zooi. Het publiek wordt onrustig, ik moet beginnen. Het is doodstil. Je ziet de hitte zinderen. Alle roodverbrande gezichten zijn op mij gericht. Vrouwen wrijven met een zakdoek hun nek en oksels droog. Ik geef de bingomolen een slinger, en nog een. Vertraagd als in een film hoor ik het donderend geraas van de balletjes. Het geluid galmt monumentaal door de zaal en over de terrassen. Ik zie mijn leven aan me voorbijtrekken. Ik probeer het moment zo lang mogelijk te rekken, dan rolt het eerste balletje eruit. Terug in de realiteit. Ik kan dit. '*Number forty-two. Forty-two*,' herhaal ik. Alle gezichten richten zich in één beweging naar de bingokaarten. Alsof er honderden synchroonzwemmers tegenover me zitten. Ik moet me hier niet door laten afleiden. Ik leg het balletje op zijn plek in het rooster en draai de molen opnieuw, en nog keer. Er rolt een balletje uit. Nummer zes. Of negen. O mijn god, wat is het? Wat zeg ik nu? Of zal ik het balletje wegmoffelen? Maar iedereen kijkt.

'*Come on, love*,' wordt er geroepen vanuit de zaal. Ik kan niet meer zweten dan ik nu al doe, ik glijd bijna uit mijn *flipflops* door de aquaplaning.

'*It's a six or a nine*,' roep ik in stress. Had ik nooit mogen doen, gaat tegen alle essentiële bingoregels in. Verwarring alom. Iedereen begint te roepen. Het zou een goed moment zijn om flauw te vallen. Ik overweeg het even, maar dan raap ik me weer bij elkaar en beslis dat het een zes is. Iedereen begint weer te roepen. '*... and it is also a nine*,' zeg ik. Chaos compleet. *Beam me up Scotty* huil ik in mezelf. Maar de Enterprise is kennelijk niet in de buurt, want ik sta hier nog steeds moederziel alleen ridicuul te wezen. Ik moet verder, kom op, draaien, nu. Ik draai de molen drie slagen in de rondte en balletje tweeëntwintig komt eruit gerold. Door het lawaai heen roep ik: '*Twenty-two.*' En voordat ik de kans krijg om het nog een keer te zeggen, roept de zaal '*Two little ducks*'. Wat doe ik nu weer fout? Ik had ook eerst de gebruiksaanwijzing moeten lezen.

Net op het punt dat mijn haarzakjes mijn haren los willen laten, zie ik Kevin op me afkomen. Ik ken hem, want hij is al bijna twee weken in het hotel. Een grote roodverbrande, typische Engelse hooligan met een piepklein hartje en reusachtige tattoos. Hij knipoogt en komt naast me zitten. Draaien, gebaart hij. Ik draai en draai en de balletjes rollen eruit. Kevin trekt de microfoon naar zich toe, pakt het eerste balletje: '*Jump and Jive. Thirty-five.*' De zaal komt weer tot rust als een hongerige baby die eindelijk de tepel gevonden heeft. En Kevin gaat door: '*Two fat ladies, eighty-eight.*' Ik heb geen idee wat-ie zegt maar ook ik word er helemaal rustig van. Deze man heeft mijn leven gered vanavond. Ik kan hem alleen maar met tranen in mijn ogen aankijken. Antonio komt Kevin een biertje brengen en ik krijg een kneepje in mijn wang.

Dan zie ik, half verstopt achter het chipsrek van de bar, Nana Mouskouri zitten met haar telmachine. Die is aan het uitrekenen hoeveel geld ik vanavond heb opgehaald. Ik krijg geheid gedoe. Op slag realiseer ik me dat er snel een pauze moet komen, want er moet drank worden omgezet. Komt me ook niet slecht uit, kan ik mooi nog een paar prijsjes verzinnen.

In de pauze ren ik naar mijn kamer en maak van een kartonnen doos drie grote tegoedbonnen: één rijtje vol, je hoeft de komende twee dagen niet in de rij bij het buffet, je mag iedereen voorbij; twee rijtjes vol, de komende drie dagen zijn de beste ligstoelen en parasol gereserveerd voor u, en voor een volle kaart kom ik u vier dagen lang twee keer per dag met mijn eigen zonnecrème insmeren.

Ik ren weer naar beneden, iedereen zit al klaar en Kevin wenkt ongeduldig dat we weer beginnen. Mijn prijzen vallen erg in de smaak bij het publiek, maar het zijn Pepe en Manolo die er met een 'gratis auto voor één dag' een volwaardige Spaanse bingo van maken.

'Wel straks op mijn kamer afrekenen,' fluistert Pepe in mijn oor. Ik zou meteen in een kramp kunnen schieten, maar dat los ik later wel op.

Kevin leest de getallen voor – '*Fifty-five, snakes alive*' – en ik ben euforisch. Mijn eerste bingo is een hit!

Uitgeput zit ik aan het eind van de avond aan de bar met mijn cola light te wachten tot de laatste bingogast vertrekt.

'*Tomorrow again*?' vraagt ze hoopvol.

de Gelogeerde Aap

Ome Slome

Aangenaam, mijn naam is Dhr. De Graaff, al jaren
dezelfde baan.
Daarnaast ben ik fotograaf, geld op de bank al jaren
gespaard.
Ik heb een tennisbaan en wagen met paard. We
kunnen kennismaken met dames aldaar,
we golfballen de nieuwste golf op knallen.

Ben een Pietje precies, ik weet precies wie wie is en
wat waar ligt.
Controlefreak tot de macht tien, Gillette Mach 3,
mooi aangezicht.
Spannende actiefilms tot laat in de nacht, *Andere
Tijden*, *Studio Sport*,
bijna 50 rook nog een joint, home alone, mijn neefjes
noemen me Ome Slome.

En zo'n tien jaar terug was ik in vorm en barstte mijn
borstkas bijna van liefde.
Los op de Gentse feesten, villa leven, Funkmaster
Frits en Mixmonster Menno erbij en gaan.
Rauwe leven, alcohol nuttigend met de vrouw van

mijn leven, ze heeft mijn leven verneukt! Een flinke
deuk in mijn ego gebeukt.

Op het werk onderzoek ik van alles, waar ik van alles
vanaf weet maar niks om geef.
Ze kunnen de tering krijgen, zit in een midlifecrisis
als het aan mij ligt.
Ik speel schaak online, verlies niet graag, kijk
filmhuisfilms net iets te vaak om erover te dromen. Ze
noemen me Ome Slome.

Hij ziet er niet uit, vel over been, weinig gegeten, zie je
meteen.
Zie je meteen, krap bij kas, vuile handen en vuile was.
Oude Mercedes-onderdelen verkocht, verpatst in ruil
voor grammen snats.
Zielig hoor. Al vroeg gestopt met school, zijn beste
vriend een hond, zielig hoor.
Hij wil weer een kamer huren met standaard lage kale
huur,
daarna 'Ketama' klappen op avontuur.
De benenwagen, trippende Bels Lijntje, liftende
Berlijntje,
eenzaam in wijken en tegen vijven zie je hem tongen
met wijven.

Yeah, ze noemen hem ome, ome, ome, Ome Slome!
Maar Ome Slome heeft veel geld,
dus daarom komen ze nog wel.
Want als hij blut is is hij niks niet,
ineens een kleine vriendenkring.
In geen velden of weggetjes een familielid gezien.

Nina de Koning

The One That Got Away

Al het gras om ons heen is lichtgroen. Ik zweet een beetje en voel zachtjes met een paar vingers aan mijn hoofd en pak er een spiegeltje bij. Tevreden kijk ik in het spiegeltje en het glijdt weer in mijn zak. Mijn make-up zit er nog op. Dan kijk ik naar Tygo en probeer zijn aandacht te vangen. Uiteindelijk lukt dat door zijn hand los te laten.

'Liefje, er zitten steentjes in mijn schoenen. Wacht heel even.' Hij pakt mijn rechterarm vast en ik wip met de andere arm mijn pump uit. Twee keer kloppen en checken of de steentjes eruit zijn. De rode lak weerkaatst het zonlicht. Dan weer aan. Hetzelfde gebeurt met de tweede pump. Tygo geeft een knikje en we lopen verder.

Boven de schoenen heb ik mijn favoriete zomerjurkje aan. Tevens een van de weinige die ik bezit, maar toen ik het kocht vond hij mij op een pin-up lijken. Dat gaf de doorslag. Mijn haar wordt door de wind gedragen. Mijn grove krullen zweven. Tygo draait zijn gezicht en we lachen naar elkaar. Hij pakt mij bij mijn middel en net voordat hij de deur opendoet zoent hij mij met een onweerstaanbare kracht. Ik zoen terug. Proberen om opnieuw gelukkig te zijn. Niet met de liefde van mijn leven, maar met Tygo.

Ik ontmoette Chris toen ik net zeventien was. Zijn haren waren bruin en krullend. Zijn gebit net iets te wit en door zijn lichaam zou je denken dat hij een model was voor Abercrombie & Fitch. In plaats daarvan maakte meneer muziek. Hij kon eeuwen op zijn gitaar spelen. We zongen dan samen veel van het repertoire van David Bowie. En hij wilde met mij gaan optreden. Net als Johnny Cash en June Carter dat deden. Als Chris naar mij keek dan beloofde zijn blik de eeuwigheid. Ik had altijd de behoefte de wens uit te spreken. Wat waren we naïef geweest. Zoenen op het dakterras van mijn ouders als zij niet thuis waren. Met de Vinkeveense Plassen als ons uitzicht. Dronken worden in de schemering. Op een boot op diezelfde Plassen. Als ik het koud had Chris' varsity jacket aan. Neukgeluiden maken als er een gezinnetje langs kwam varen. Grinnikend als een idioot. En als er dan geen andere boten meer waren, in al onze meligheid diezelfde neukgeluiden opnemen op de voicemail van Peter, onze gezamenlijke vriend met (nog steeds) het uiterlijk van een ICT'er.

Hem heb ik laatst nog gezien, toen ik even terug was in het dorp. Ik vroeg naar Chris. Peter vertelde me dat Chris nu net anderhalf jaar samenwoont met een meisje genaamd Tamara. Het koppel had elkaar tweeënhalf jaar geleden ontmoet en Chris was volgens Peter meteen over zijn oren verliefd. Het stak, maar de tranen die naar boven kwamen zagen pas vrijheid toen ik weer in mijn ouderlijk huis zat. Chris was dus officieel over mij heen.

Als ik met Tygo zoen proef ik Chris. Ik doe mijn ogen dicht en hoop dan dat als ik ze opendoe ik Chris voor mij zie staan. Tygo heeft niets door. Als hij zijn ogen opendoet staat de vrouw van zijn dromen voor zijn neus. Ik ben voor Tygo wat Chris voor mij was. Ik ken Tygo nu net vijf maanden en we zijn na twee maanden al met elkaar getrouwd. Alles om de herinneringen aan Chris maar weg te drukken. Om zo snel mogelijk nieuwe te maken met mijn man. Als ik eenmaal de achternaam heb aangenomen dan zal het gevoel ook wel komen. Zoiets moet groeien en Tygo is geen slechte partij. Tygo is de bekendste acteur sinds James Dean, heeft zojuist de award voor 'sexiest man alive' gekregen en hij kan mij alles geven wat ik wil.

Behalve datgene wat ik écht wil. In mijn dromen trouw ik altijd opnieuw. En dan met Chris. Ik zou een mooie, maar korte witte jurk dragen. Stockings eronder. Dat moest, want Chris had altijd gezegd weg te zijn van mijn lange benen. Dan kuste hij elk plekje van mijn benen. Waar ik normaliter mezelf enorm ongemakkelijk voelde bij dit soort taferelen, deed het me bij Chris alleen maar plezier. Hij ging dan met zijn handen langs mijn zachte dijen, glimlachte en zoende me vol op mijn mond. 'Babe,' hoor ik hem nog fluisteren in mijn oor. Zijn stoppelbaardje kriebelend tegen mijn wang aan. Het melancholische gevoel overspoelt me en ik moet mijn tranen tegenhouden.

'Wat is er?' Ik doe mijn ogen open. Tygo kijkt bezorgd.

'Ik moet denk ik even alleen zijn.' Als Tygo eenmaal de deur open heeft storm ik naar boven. Tygo loopt uit gewenning naar de keuken om daar de boodschappen uit te pakken. Hij zal wachten.

Zoals de zomer altijd herfst wordt, werd ook de relatie met Chris langzaam donkerder en kouder. Ik moest naar Los Angeles verhuizen om daar te werken aan mijn liedjes onder leiding van een grote platenfirma en Chris bleef achter. Ik kon het niet hebben en was gefrustreerd over het feit dat Chris niet mee kon. Wij zouden samen muziek gaan maken. Net als Johnny & June. Ik kon alleen in combinatie met hem goede muziek maken. Maar de platenmaatschappij zag dat niet. Zij wilde Chris er niet bij.

'Je moet de nieuwe Lady Gaga worden. Een solozangeres. Een meisje dat niemand nodig heeft.' Dan werd er met de vingers een fotolijstje nagedaan. De grote platenbonzen zagen het helemaal voor zich. Mijn ouders ook en zij probeerden daarom Chris uit mijn hoofd te praten.

'Ga voor je carrière.' Wat niemand kon zien was dat Chris mijn carrière juist niet tegenhield, maar verrijkte. Datzelfde frustreerde Chris ook. Hij sprak het nooit uit, maar als ik over Los Angeles begon werd hij wild. Dan gooide hij verf over de muren van het kraakpand dat hij als schildersatelier gebruikte. Ik zag dan in zijn ogen dat hij zich onbegrepen voelde. Dat hij het liefst mijn plek in het vliegtuig wilde overnemen. Niet dat hij het mij niet gunde, maar zijn verlangen om zijn kunst te doen gelden was ook zo groot. Om mij achterna te reizen op eigen kosten was geen optie: Chris had net genoeg geld om verf te kunnen kopen voor zijn doeken. Hij leefde enkel van de opbrengst van zijn schilderijen. Duizendmaal had ik mijn spaargeld aangeboden, maar dan werd hij stil of weigerde hij. Ik hoorde van Peter dat het nu wel beter gaat met de schilderijen. Chris had een tijdje geleden een expositie in Amsterdam met twaalf schilderijen die hij van Tamara had gemaakt en ik vroeg mij terstond af of hij het schilderij dat wij samen maakten in zijn kraakpand nog in zijn bezit heeft. Of dat hij het samen met zijn varsity jacket heeft verbrand toen ik toch naar Los Angeles vertrok en hem vertelde dat het beter was als we uit elkaar zouden gaan. Een beslissing die mijn moeder mij had ingefluisterd. Hoe kon ik toen weten dat ik hem zo erg zou gaan missen?

Als ik met mijn handen langs de lakens ga valt er een traan. Het missen is in mijn botten gekropen. Chris, waar ben je? Ben je nu echt gelukkig met die Tamara? Oprecht hoop ik dat je mij soms nog op tv ziet en mij dan net zo intens mist als ik jou. Niet omdat ik wil dat je pijn hebt, maar om te weten dat ik niet de enige ben. Dat we evenveel voor elkaar betekenden. Als ik denk aan de avonden dat wij in jouw schildersatelier op enkel een kapotte matras de liefde bedreven word ik warm en koud tegelijk. Dat je mijn lichaam omklemde met het jouwe en mijn lippen kuste. Als ik denk aan hoe je vingers mijn borsten inspecteerden. Hoe je langzaam aan mijn tepels zoog met je dikke lippen. En mij met bijna elke aanraking deed schokken. Je was mijn alles toen. Ik kende niet meer dan jou, Chris. Nu ik met Tygo vrij mis ik die dikke lippen. Ik ken nu meer, maar ik kom erachter dat het niet hetgeen is wat ik wil. Ik projecteer alles van jou op Tygo. Dat is de enige manier om het vol te houden. Tygo mag dan wel 'the sexiest man alive' zijn en hij mag dan wel aanbeden worden door miljoenen vrouwen: ik aanbid jou, Chris. De tranenstroom is niet meer te houden. Mijn benen schokken net als toen, maar niet van plezier. Ik knijp zachtjes in ze en voel tranen op beide vallen.

Het was wij samen tegen de wereld. Nu zijn onze werelden allebei anders. Ik zit in Los Angeles, jij in Amsterdam. Allebei met de herinneringen achter ons. Ik weet niet of we het hadden gered als het anders was gelopen, maar wat zou ik nog graag jouw adem op mijn hals willen voelen. Liggend op dat kapotte matras in je schildersatelier.

Saul van Stapele

Kato

'Ik ben voorzichtig met lezen omdat ik bang ben voor wat er dan in mijn hoofd gebeurt,' zei ik tegen Kato, een paar dagen voordat ik hem in een luciferdoosje zou doen. Een leeg luciferdoosje met een paars vlak op de achterkant dat ik in de rechterzak van mijn spijkerbroek bewaarde, de zak waar ik elke paar minuten even op klopte.

Ik zei meestal niet zoveel. En al helemaal niet over mijn angsten. Maar met Kato praatte ik over gevoelens die zo diep zaten dat ik ze soms pas ontdekte op het moment dat ik ze tegen hem uitsprak.

We hadden het over boeken en ik kreeg bij hem dan altijd het gevoel dat ik me moest verdedigen. Kato was een allesverslinder. Hij citeerde even moeiteloos oud-Russische literatuur als de nieuwste bestseller uit Amerika en verstopte zich het liefst in vuistdikke sciencefictionboeken die zich afspeelden in een wereld vol stammen, rassen, planetenstelsels en virtuoos omgebogen logica die me zelfs samengevat op de achterflap al deed duizelen.

Kato en ik praatten zelden over boeken. Ik had veel te weinig toe te voegen aan zijn fantastische literaire universum. Maar we zouden samen een horrorverhaal schrijven, zo hadden we afgesproken, en Kato had zojuist een imposante reeks inspiratiebronnen opgesomd. Ik weet niet meer hoe het plan van het horrorverhaal is ontstaan, maar het was lang het belangrijkste wat zich in mijn leven afspeelde.

'Wat in je hoofd gebeurt wanneer je leest, is juist het mooiste wat er is,' zei Kato tegen me. Hij praatte vaak zo. Alsof hij over alles al zo lang en zo grondig had nagedacht dat hij er nu definitief uit was en het alleen nog maar onnodig vermoeiend zou zijn het er nog een keer over te hebben.

Kato begon in detail een scène te schetsen waarin onze seriemoordenaar zijn slachtoffer ontvelde om een stoel in zijn woonkamer te kunnen bekleden. Hij vertelde het huiveringwekkend goed, ik kon de angst van het slachtoffer ruiken.

Sara wilde weten waar ik Kato ontmoet had. Maar dat wist ik echt niet meer. Ze zette haar zeewiergroene ogen op alsof ze in een soapserie speelde en zei: 'Je schrijft een horrorverhaal met een vriend over wie je níéts weet maar die de meest gewelddadige details verzint? O-mijn-god, baby, dat is op zichzelf al bizar eng!'

Ze zei het met een half serieus lachje. Sara had een manier gevonden om haar Nederlands precies zo te laten klinken als het Amerikaans van de meisjes uit tv-series. Ze had het kapsel van Rachel uit *Friends*, dronk de drankjes van de vrouwen uit *Sex And The City* en kwam uit Alphen a/d Rijn. Ik was gek op haar.

We hadden aangeschoten seks op de bank en op het tapijt in de woonkamer. Sara probeerde een paar keer met die veel te dure broek uit het Amerikaanse modetijdschrift op haar dunne enkels in de richting van de deur van de slaapkamer te kruipen. Ik schoot elke keer naar haar toe, met mijn hand naar haar kruis of met mijn mond naar haar borsten, en hield haar tegen op een manier die niet was te onderscheiden van de rest van de seks.

Kato lag in de slaapkamer. Daar logeerde hij een tijdje. Ik wist niet meer precies waarom en ook niet waar hij zelf woonde dus leek het me beter dat niet tegen Sara te zeggen.

'Is dit alles wat je hebt geschreven?' vroeg Kato, terwijl hij met een grimas naar het scherp gevouwen A4'tje keek dat ik voor de helft had volgeklad met wat clichés uit tienerhorrorfilms.

Ik wist het zelf ook wel, Kato. Ik had nog nooit zo hard en zo intensief aan iets gewerkt met zo weinig resultaat. Het was alsof de lege ruimte in mijn hoofd was toegenomen naarmate ik harder was gaan denken, totdat ik niet meer kon denken en zat opgescheept met wat sleetse iconen uit de moderne popcorncultuur.

Hij werd niet boos. Hij legde mijn A4'tje naast een adembenemende stapel netjes volgetypte vellen (regelafstand 1,5) en vatte kort samen wat er sinds gisteren allemaal gebeurd was in onze horrorwereld.

Het leek alsof Kato alleen maar zijn ogen dicht hoefde te doen om een romanreeks te visualiseren en hij die daarna in één keer op papier kon zetten.

'Je bent geobsedeerd door Kato,' zei Lidwien op dezelfde lieve, warme toon waarmee ze tegen me had gesproken sinds ik een couveusebaby was. 'Door Kato en door dat horrorverhaal. Je praat erover alsof je elk moment kunt stoppen met ademhalen.'

Ik wist wel dat ze gelijk had maar dat deed er nauwelijks toe. Je kunt weten dat je aan crack verslaafd bent maar dat maakt de drang naar de snelle high op de straathoek geen gram minder. Kato was mijn beste vriend. Ik kon hem niet teleurstellen.

Ik werd opgezogen door blanco A4'tjes. Mijn denken was een draaikolk van kettingzagen, hockeymaskers, lijkenkamers, schreeuwende B-sterretjes en emmers bloed. Maar wanneer ik uitzoomde, werden het langzaam de pixels waaruit het hoofd van Kato was opgetrokken, met op zijn gezicht die uitdrukking van vriendelijk weggestopte teleurstelling.

Het luciferdoosje was ook een idee van Lidwien geweest. Het is raar, want op het moment dat ze het voorstelde, klonk het mij net zo logisch toe als het feit dat Kato tot dan toe in mijn slaapkamer had gelogeerd en ik mijn intrek had genomen in de woonkamer.

Het waren de woorden die ze koos, die me stoorden.

'Ik geloof wel dat Kato voor jou bestaat. Maar alleen in jouw verbeelding. Lieverd, Kato woont in jouw hoofd en jij bent de enige die hem daar een plekje kan geven.'

Lidwien had het op geruststellende toon gezegd, alsof ze geen bom had laten afgaan in mijn hersenpan. Achteraf gezien was het niet de vaststelling dat Kato niet zou bestaan die mijn hersenen deed tollen tot het pijn deed. In een wirwarwereld vol verhalen en een hoofd vol chaos was die lijn allang niet meer duidelijk te trekken.

Ik las niet meer, nadenken deed pijn, mijn hoofd was een slagveld. Ik hapte naar adem en nu had Lidwien Kato zonder omhaal midden in het epicentrum van mijn emoties laten intrekken.

'Kato woont in jouw hoofd.'

Ik was de enige die Kato kende – mijn vrienden hadden hem nooit ontmoet. Nu woonde hij in mijn hoofd. En een knappe jongen die hem daar weg wist te krijgen.

Ik kreeg mijn eerste aanval tijdens een college mediageschiedenis. Ik herinner me een zoemend relaas over ethiek, harkpoppetjes op ruitjespapier en daarna niets meer. Sara vertelde me later dat ik op het stilste punt van het betoog van de docent als een springveer uit de banken was opgestaan en als een bezeten profeet kreten had geroepen over massamoord en executie en genocide en kettingzagen en hockeymaskers.

'Je had het gezicht van Verwaaijen moeten zien, absoluut on-ge-loof-lijk,' zei Sara later met haar half serieuze lachje.

Verwaaijen was de meest bedeesde docent op de faculteit, een vriendelijk murmelende morsige coltrui, maar hij had me nu met vuurrood gezicht naar de uitgang gestuurd. '"Je moet weg! Je moet weg!" zei hij alleen nog maar,' vertelde Sara, terwijl ik was gaan roepen dat niemand snapte waar het echt om ging.

'"Ik heb een idee nodig, ik heb een idee nodig," riep je steeds weer,' zei Sara, 'en je schreeuwde het op de toon waarop elk ander persoon zou smeken om zijn medicatie. Het was on-ge-loof-lijk.' Ze leek onder de indruk. Ze had me in elk geval nog niet verlaten.

'Ik heb die films ook gezien,' zei Kato, terwijl hij me mild maar vermoeid aankeek na mijn paniekerig enthousiast vertelde pitch om in het verhaal wat slachtoffers naar horrorfilms te laten kijken terwijl onze moordenaar met een kettingzaag in de aanslag op ze afkwam. Maar ik had geen beter idee. Ik had niets en Kato wist het.

Hij vertelde me een verhaal over een donkere weg in een verlaten landschap waarvan de reikwijdte de reizigers onbekend was. Het was een weg waarop niets was te horen, te voelen, te ruiken, te zien, en het duurde maar en het duurde maar. De reizigers werden moe in hun benen en hadden geen idee of het beter was om te keren of door te gaan. Ze keken elkaar aan met lege ogen en wisten niets meer te zeggen.

Er was geen moordenaar te bekennen in het verhaal van Kato. Maar die paar schetsen waren al genoeg. Het was doodeng. Het voelde alsof ik in een diepe put viel.

Het was na die aanval dat Lidwien me, met haar vertrouwd naar goedkope gin ruikende adem, had uitgelegd hoe dat precies werkte, met dat luciferdoosje. Ze had me gevonden op mijn oude jongenskamer, ik had tijdens de val tegen het bureautje dat nu te laag voor me was mijn schouder bezeerd, en mijn bril was kromgetrokken. Het had minutenlang geduurd voordat ik wist wie Lidwien was.

'Stop hem hierin,' zei Lidwien, terwijl ze me het luciferdoosje met de paarse achterkant gaf, nadat ze de lucifers op het bureaublad had geschud. 'En stop het doosje in je zak. Elke keer wanneer je het doosje voelt in je zak, weet je dat hij daar is. Maar belangrijker: je weet ook dat jij het doosje vast kunt houden. Jij kunt met het doosje schudden, gooien, je kunt het kapotmaken of versieren. Jij bent de baas over het doosje en over alles wat zich in het doosje bevindt.'

De eerste keer dat ik aan Kato had uitgelegd wat Lidwien me vertelde, had hij gelachen alsof hij zojuist in tien minuten de honderd beste moppen uit de wereldgeschiedenis tot zich had genomen. Maar hij vond het geen probleem, zei hij.

'Misschien wordt het ook weer eens tijd om Sara je slaapkamer te laten zien,' glimlachte Kato.

Ik weet niet of Sara had gemerkt dat we de slaapkamer hadden gemeden maar ze was bij haar volgende bezoek blij er weer terug te zijn. De Smart TV stond daar. Het kingsize bed. Het gedempte licht waarbij ze haar kleren wat soepeler uittrok.

Ze vertelde met haar hoofd op mijn aangespannen buik dat ze had gelezen dat je in een relatie de randjes, de oneffenheden, moest koesteren. Sara leek te hebben besloten dat het haar taak was mijn idiote aanvallen aantrekkelijk te vinden. Ze praatte over mijn worsteling met het horrorverhaal alsof ze de muze was van een groot, lijdend kunstenaar (ze gebruikte daarbij woorden als 'bizar intens').

Sara snapte er niets van maar ik was haar dankbaar. Ze was warm, zacht en rond en deed alsof ze me begreep.

Of waren dat de woorden van Kato?

De enige die echt leek te willen weten wie Kato was, was Lidwien. Maar ik vertrouwde de gesprekken met haar niet altijd. Ze praatte liefdevol en met begrip maar vroeg naar details die me verwarden. De kleur van zijn ogen, de vorm van zijn kaak, wat voor kleren hij de laatste keer had aangehad. Het waren momenten waarop mijn hoofd net zo'n echoput werd als de talloze keren dat ik probeerde het keerpunt in ons horrorverhaal te bedenken. Die ene alinea die ervoor zou zorgen dat niemand het verhaal ooit meer vergat en Kato zou laten rillen van plezier.

De kleur van zijn ogen was niet belangrijk, Lidwien. En ook niet of hij wel of niet bestond. Kato kon het watertrappelen helpen stoppen, wanhopig op zoek naar een uitweg, naar orde in de chaos. Kato kon zich opblazen en mijn hoofd vullen en zo een tijdelijke rust creëren die ik op andere momenten niet meer voelde.

Ik was vanzelfsprekend intelligent genoeg. En dat was tegelijk ook het probleem. Ik wist dat Kato me in zijn greep had en dat ik geluk had dat hij me liet focussen op het verhaal dat we samen moesten schrijven; het horrorverhaal dat zo soepel uit zijn vingers stroomde terwijl elke eenzame letter in mijn hoofd knarste en haperde.

Maar wat als Kato zijn aandacht verlegde?

Zou ik van het dak springen wanneer Kato het zei?

Kon ik Sara iets aandoen, terwijl ze licht snurkte, naakt in hetzelfde bed waar Kato de afgelopen tijd had gelogeerd?

Of Lidwien?

Ik was weer gaan lezen.

Ook dat was een advies van Lidwien geweest. Sara zette 's avonds haar series wat zachter zodat ik mijn aandacht bij het papier kon houden. De eerste zinnen trokken sissende sporen door mijn hersenpan. De simpelste beeldspraak riep werelden op die in brand stonden en mijn gezicht aan alle kanten leken te doen gloeien.

Het duurde enkele pagina's voordat ik niet meer steeds bedacht hoe Kato de zinnen zou hebben gelezen. Wat hij ervan zou vinden en hoe mijn onbeduidende mening zelfs zijn schaduw nog met schaamte zou vervullen.

Het duurde boekenplanken, rustig aangemoedigd door Lidwien en steeds meer ook door Sara, die mijn plotse ontspanning ook gevoeld moet hebben, voordat ik aan het te kleine bureau in mijn oude kamer ging zitten, het luciferdoosje op tafel legde en de lamp er vol op scheen. Ik wilde Kato vertellen wat ik gelezen had. Of dat ik gelezen had. En dat ik de angst steeds minder vaak voelde.

Kato had vriendelijk gekeken. Ik vergat ook nu weer op de kleur van zijn ogen te letten of op de vorm van zijn kaak. Het leek alsof mijn woorden nauwelijks aankwamen maar hij van nature te goed was om mij recht in mijn gezicht uit te lachen.

Nadat ik hem de werelden had geschetst die ik eindelijk weer in mijn hoofd had durven laten opdoemen, haalde Kato langzaam een hand door zijn haar (Blond? Bruin? Zwart?) en zei hij op zachte toon: 'En hoe gaat het met ons verhaal?'

Het leek geen verwijt. Kato keek oprecht geïnteresseerd, alsof hij simpelweg verder wilde gaan waar we al die boekenplanken geleden waren gebleven. Kato knikte even naar de hoek van de kamer waar de dozen vol met pagina's lagen die hij in de tussentijd had volgetikt.

Op mijn bureaublad lag het lege doosje. In een hoek lagen tussen stapels met zinloze poppetjes volgekalkt papier, de lucifers. Het exacte moment herinner ik me niet meer maar ik heb Kato verbrand. En met hem de dozen vol met door hem geschreven pagina's voor ons horrorverhaal waaruit zijn pure meesterschap bleek. En het te lage bureau, de te korte gordijnen in mijn jongenskamer, en een flink deel van mijn huid.

Lidwien was in het ziekenhuis vooral vol geweest van haar eigen schuld. Sara had het na enkele dagen met een diplomatieke omweg uitgemaakt en ook Kato heb ik niet meer gezien.

Wel zijn glimlach, elke nacht, vriendelijk opdoemend in de zwarte rook.

En bang ben ik nog steeds.

Elfie Tromp

Oorlog

I.

'Lekker naar de zon voor een prikkie. Wat is daar nou mis mee?' Rob schudt zijn hoofd.

'Ik ga geen vakantie vieren in een land waar gevochten wordt,' zeg ik. 'En een week met jouw familie is géén verwenarrangement.'

'Ik heb al gezegd dat we gaan. Dus we gaan.' Rob pakt me vast en fluistert in mijn oor: 'Het is all-inclusive, hoor.'

'Zitten de mortiergranaten er ook bij inbegrepen?'

Rob laat me los, verlaat schouderophalend de kamer.

Een week later ontmoeten we zijn familie op het vliegveld. Stiefvader Nol lacht zijn kunstgebit bloot als hij ons ziet. 'Dag meid.' Hij pakt me gretig vast en kust me op de mond. Zijn natte snor hangt over zijn bovenlip.

Merie, Robs moeder, omhelst haar zoon. Ik zie een traan in haar ooghoek. 'Jongen, o, jongen, toch.' Alsof ze zojuist uit de schuilkelder is gekropen en ziet dat we het ook hebben overleefd.

Zelfs Robs stiefbroer Nick is er. Nurks begroet hij ons met een 'hmpf'.

Ik krijg een slap handje van zijn bleke vrouw. Ik vergeet

haar naam altijd. Emmely? Madelon? Ik durf het Rob niet te vragen, omdat ik weet dat hij dan 'teleurgesteld, niet boos' zal zijn. Zo'n bui kan de rest van de dag blijven hangen. Met haar andere hand duwt Emmely of Madelon een buggy heen en weer als een grasmaaier over een hardnekkige pol onkruid. Hun baby hangt in zijn tuigje kwijlend te slapen.

Na het inchecken waaiert de familie haastig uiteen. Bij de taxfreeshop koopt iedereen een slof sigaretten en een fles sterke drank.

Ik dwaal wat rond tussen de parfums en wacht dan bij de kassa. Rob pakt een fles gin. Dat drinkt hij nooit thuis.

Robs moeder kiest Tia Maria. Emmely of Madelon houdt een fles Malibu vast. Onder haar oksel heeft ze een slof Marlboro geklemd. Zweet druipt vanuit de vlezige vouwen langs het cellofaan. Vanaf de andere kant van de kassa roept ze naar me: 'Waarom koop jij niks?'

'Ik rook niet en ik drink geen sterke drank,' probeer ik halfhard te zeggen, zodat ze me verstaat, maar niet iedereen in de winkel hoort dat ik schreeuw.

'Maar het is duty-free!' brult ze alsof ik de kans van mijn leven misloop. Haar man komt achter haar in de rij staan. 'Mentholsigaretten zijn voor wijven, Nick.' Zijn fles Bacardi wordt wel goedgekeurd.

In het vliegtuig zit ik naast Robs stiefvader.

'Vind je het niet gek dat we gaan ontspannen in een land dat midden in een opstand is?' vraag ik.

Nol lacht. 'Meissie, we gaan genieten met het gezin. Daar is niks mis mee!' Hij bestelt een whisky bij de stewardess. Als het plastic bekertje leeg is, moet ik aan zijn dikke enkel zitten.

'Als je erop drukt, kun je de schroef voelen,' zegt hij.

Ik knik en veeg mijn hand voorzichtig af aan de stoelbekleding.

2.

Het all-inclusive-resort ligt aan de kust, vlak bij de Israëlische grens. We komen aan bij zonsopgang. Het strand is grijzig wit, de zee vaalblauw. De schoonfamilie pakt bedjes en zet ze dicht bij elkaar onder een grote, rieten parasol. Moeder Merie doet haar bh uit. Een cascade van vlees rolt over haar buik.

Ze legt een slof sigaretten aan de voet van haar strandbed. Iedereen pikt eruit. Aan het eind van de dag is alles op.

Naast haar legt ze een thriller van Nicci French. Halverwege geopend, alsof ze er zojuist nog erg in verdiept was, en zodadelijk, na dit ene sigaretje, meteen weer door zal lezen. Elke ochtend neemt ze het boek mee naar het strand, als een soort ticket.

Emmely of Madelon doet hetzelfde met een tijdschrift. Ik heb nog nooit iemand vier dagen over een *Marie Claire* zien doen. Ik let op of iemand haar bij de naam noemt, maar tot nu toe is ze alleen maar door haar man aangesproken met 'hé'.

De twee vrouwen praten non-stop.

'Warm weer vandaag.'

'Ja. Lekker warm.'

'Ik begin te zweten.'

'Ik ook. Lekker.'

'Ja. Lekker warm. Echt heet.'

'Wat een hitte.'

Er valt een korte stilte. Ze smeren zichzelf in. Iedereen rookt. De baby pruttelt wat in de schaduw. Zo glijden de dagen redelijk vreedzaam voorbij aan de kust.

3.

Ik heb een 'te lezen voordat ik sterf'-lijst gemaakt. Ik ben halverwege het derde boek op mijn lijst, als Emmely of Madelon zich naar mij toe draait.

'Voel jij je niet goed?' vraagt ze. 'Je bent zo stil.'

Ik kijk op uit Simone de Beauvoirs *De tweede sekse.*

Ik begin enthousiast te vertellen over de seksuele identiteit van de vrouw en hoe deze verborgen ligt in het onderbewuste, net zoals het vrouwelijke geslachtsorgaan in zichzelf verborgen blijft. 'We zouden, volgens Simone, in ons leven meer introspectie moeten toepassen, zowel fysiek als geestelijk, om niet als een eunuch door het leven te gaan.'

De schoonstiefzus kijkt me aan en blaast rook uit. 'Jij voelt je echt niet lekker, hè?'

'Kom, we gaan zwemmen,' zegt Rob. Hij trekt me mee.

Ik durf hem niet te vragen of ik iets verkeerds heb gezegd, want ik wil niet dat hij me zijn 'ik vind je echt niet dom, maar wel naïef'-speech geeft.

4.

Avondeten. Ik heb gedoucht, mijn haar opgestoken, wat parfum gesprietst, een jurk en hakken aangedaan.

De mannen zitten in hun zwembroek aan tafel. Voor de gelegenheid hebben zij een voetbalshirt aangetrokken.

'Zo, ga jij naar het bal?' vraagt stiefbroer Nick me.

Het is de eerste keer dat hij me direct aanspreekt. De afgelopen dagen heeft hij voorover geleund op zijn strandbedje gezeten. Rokend, kijkend naar de brede, witte rug van zijn vrouw die hun baby verschoont. Niets van tevredenheid of vertedering in zijn blik, eerder alert. Alsof hij wachtte op verdwaalde kogels die een paar honderd kilometer verderop werden afgeschoten.

Ik raak afgeleid. Emmely of Madelon steekt een vinger in de mond van haar baby, draait hem erin rond en likt hem dan zelf af.

Tijdens het diner zit ik naast de baby. Ze heeft prachtige krullen die ik zachtjes aai, terwijl ze grote lepels chocoladesaus aflikt.

'Zulk haar heb ik ook.' Emmely of Madelon wijst naar de baby.

'Zulke krullen?' Ik kijk naar Emmely of Madelons bleekblonde haar. Ze heeft het met gel plat langs haar brede gezicht gekamd. Daar blijft het vastgeplakt zitten. Tot het zweet het losweekt en er pluizige krullen tussen de harde stukken opspringen. 'Wat mooi,' zeg ik. 'Ik zou dat weleens willen zien.'

'Dat wil je niet,' zegt haar man. 'Dan lijkt ze net een varken.'

'Hij noemt me dan Miss Piggy.'

Ik kijk naar haar uitdrukkingsloze gezicht. Rode vlekken in haar nek waar ze de zonnebrand niet goed heeft uitgesmeerd. Ik stel me weelderige krullen voor, die om haar kale gezicht deinen.

'Ik denk...' begin ik, maar Miss Piggy buigt zich over de baby naar mij toe.

'Jij bennie wijs,' sist ze. 'Hij heb gelijk, hoor.'

'Kom,' zegt Rob en hij schuift mijn stoel naar achteren. 'Wij gaan even wandelen.'

We lopen langs het water. Ook al zijn de gevechten landinwaarts bezig, toch tuur ik over de waterlijn. Ik denk explosies in de verte te zien. Bominslagen. Brandhaarden in Vinex-wijken.

5.

Na een rondje langs het strand en rond de tennisbaan komen we terug bij de tafel. De sfeer is losser geworden. Er staat een nieuwe fles wijn op tafel. Miss Piggy vertrekt met de baby naar de kamer en haar man begint te lachen.

Al gauw is de fles leeg en komt er koffie met likeur op tafel. Ik hang zwaar en met rode wangen tegen Rob aan.

Als de tweede afzakker wordt opgediend, heft stiefvader Nol zijn vinger op. 'Beseffen jullie wel dat ík hiervoor betaald heb?'

We bedanken hem allemaal uitvoerig. Rob klopt hem op zijn schouder. Nol bestelt nog een whisky. De rest volgt. Ik sla over.

'Uitvreters. Stuk voor stuk.' Nol giet zijn whisky in één teug naar binnen. 'Vooral jij.' Hij wijst naar Nick. 'Een kind nemen, maar niet je eigen vakantie kunnen betalen. Waardeloos!'

Ik herinner me iets over het aflossen van een door de jaren heen opgebouwde gokschuld. Ik wil er iets van zeggen. Het is niet kies om je zoon zo te kakken te zetten waar iedereen bij is.

'Zeg!' roep ik. Rob trekt weer aan mijn arm.

Nick gaat wat rechter zitten, kijkt de oude man aan. Dit gevecht lijkt eerder gevochten.

'Heb je niks te zeggen, lafaard?' zegt Nol tegen zijn zoon.

'Laat nou, laat nou,' sust Merie, maar de man wil bloed zien. Het bloed van zijn zoon. De rest van de familie zit er met gebogen hoofd bij en wacht af.

'Dit kun je niet maken.' Ik sta op, wankel. Langzaam kijkt de oude man mij aan.

'Zo, zo.' Hij pakt zijn glas en heft het. 'Op de uitvreters!' Hij neemt een grote slok.

Nu staat Rob ook op. Hij pakt me bij mijn schouders en trekt me mee, weg van de tafel. Ik wil nog iets zeggen en draai me om. Ik zie ze zitten op het verder verlaten terras.

'Jullie moeten hem verdedigen!' Mijn stem slaat over. Ze lijken me niet te horen. Rob trekt me naar binnen. 'Lafaard!' Mijn stem weerkaatst tussen de witte tegels van de receptie.

Rob zucht, schudt zijn hoofd. Zijn oogleden hangen schuin af. Treurig. Hij wil iets zeggen, maar loopt dan de gang in, naar de hotelkamer.

Ik draai me om, neem een stap richting de buitendeur en struikel over de zoom van mijn jurk. Ik val op mijn knieën en blijf zo zitten. 'Kutzooi,' mompel ik.

6.

De zon schijnt fel de volgende ochtend. Iedereen heeft een zonnebril op. Nol ontbreekt.

'Hij durft niet naar beneden,' zegt moeder Merie. 'Het is vechten geworden.'

'Met een flinke klap wordt Nol wel stil,' zegt Miss Piggy.

De vrouwen gniffelen.

Tegen vieren komt Nol het strand op geschuifeld. Hij houdt de filmcamera voor zijn blauwe oog. Hij zwaait naar ons. Niemand zwaait terug.

Met een omtrekkende beweging komt hij dichterbij. Eerst filmt hij het water, daarna een vogel, dan een dode kwal.

Hij richt de camera op de baby. Die weet al wat poseren is en kirt.

'Goed zo, popje, ja!' zegt hij.

Miss Piggy trekt het kind op schoot, uit beeld.

Nol gaat wijdbeens op de rand van een stoel zitten. Hij pikt een sigaretje uit de slof. Hij zoomt in op een schelp. Zijn gezwollen voeten in goedkope slippers. De rug gekromd als een oude zwerfkat. Zijn losse vel vol vetbulten en vlekken hangt om hem heen als een natte handdoek. Zal ik bij hem gaan zitten? Een arm om hem heen slaan? Ik weet niet wat de rest daarvan vindt.

'*Free belly dance class, yes?*' vraagt het meisje van de bediening ons. '*Belly dance class, yes?*'

'*Yes, please.*' Ik sta op.

Opgelucht loop ik achter het meisje aan, naar een grasveldje aan de andere kant van het resort. Weg van de familie, voordat ik iets stoms zeg.

Het is een klein groepje dat buikdanst. Naast mij staan een oudere Russische dame met nepborsten en twee giechelende meisjes van een jaar of twaalf klaar. Het meisje van de bediening zet een boombox aan en een opzwepend ritme met veel getingel en geklap schalt over het veldje.

'*Roll the belly!*' gilt het meisje boven de muziek uit en ze doet het voor. Ik volg haar bewegingen zo goed mogelijk en begin er na een paar minuten plezier in te krijgen. Ritmisch schud en klap ik het veldje rond. We stampen hard. Ik denk even nergens aan, voel de spanning van me af glijden. Tot ik de camera zie. Nol is mij gevolgd. Hoe lang staat hij daar al?

'Lach eens naar het vogeltje. Koek, koek!'

De jonge meisjes zien hem en stoppen met dansen. Ook de Russische dame toomt haar bewegingen in, zichtbaar opgelaten door die vreemde toeschouwer.

Ik dans door en negeer hem. Af en toe kijk ik of hij er nog staat. Elke keer zwaait hij. Ik stamp steeds feller. De droge aarde ploft in wolkjes om mijn voeten. Ik sluit mijn ogen. Sterf, sterf sterf, denk ik op het ritme van de muziek. Stik, beef en sterf.

Elfie Tromp

Zakdoekje leggen

We krijgen een roze glitterkaart met de post. Op de voorkant staat Assepoester in prinsessenjurk.

Hallo ...Rob en Elfie...
Ik word ...1... jaar!
Kom je ook op mijn prinsessenfeestje?
Groetjes van Danique

'Ik kan denk ik niet,' probeer ik.

'Het is het kind van mijn broer,' zegt Rob.

'Stiefbroer,' verbeter ik hem.

'Maar hij hoort er helemaal bij.'

En daarmee is het besloten. We gaan.

Ik zie het nut van peuterverjaardagen niet in. Al die moeite en het kind zal het zich toch niet herinneren. Het maakt voor Danique niet uit of ik erbij ben. De laatste keer dat ik haar zag, smeerde ze pastasaus in haar haar.

We komen precies op tijd aan.

Nick, Robs stiefbroer, doet de deur open.

'Ha, broer,' zegt hij en hij slaat amicaal op Robs schouder.

Ik snap niet waarom zij elkaar altijd zo expliciet 'broer'

moeten noemen. Alsof ze zichzelf ervan moeten overtuigen dat het zo is.

'Kijk.' Nick tilt zijn shirt op. 'Heb ik laten zetten voor mijn kleine schat.'

Halverwege zijn buik, daar waar het begint uit te dijen, staat in sierlijke letters *Danique* getatoeëerd. Daaronder de geboortedatum en tijd.

'Mooi, man,' zegt Rob.

Nicks vrouw had dezelfde informatie, plus het geboortegewicht, al een week na de bevalling op haar buik laten vereeuwigen.

'Waarom nu?' vraag ik.

'Waarom niet?' zegt Nick.

Daar kan ik niks tegenin brengen.

Nick geeft ons een tour door het huis.

In de gang hangt een grote Mickey Mouse-poster met vergeeld plakband aan de hoeken.

Boven het bed in de slaapkamer hangt een levensgrote foto van Danique, vers geboren, besmeurd met witte en rode derrie. Ze huilt. Nick en zijn vrouw hebben hun hoofd op haar buikje gelegd en kijken lachend naar de camera. Ze dragen mondkapjes. Is dit nu pril geluk? Ze zien eruit als twee gestoorde artsen die zodadelijk zullen bewijzen dat mensenbaby's wel degelijk zonder darmstelsel kunnen overleven.

Naast de eettafel staat een vitrinekast met dartpijltjes en prijzen.

De tuin en woonkamer zitten al vol met familie, kinderen en buren. Oma snijdt de taart in stukken. Ook zij heeft een tatoeage laten zetten. Op haar enkel, tussen de spataderen, staat de letter D.

'Wat willen jullie drinken?' vraagt ze ons.

'Een rosé zou lekker zijn,' zeg ik.

Oma trekt een getekende wenkbrauw op. 'Het is een kinderfeestje, hoor. We hebben Fanta en bier.'

Ze geeft me een bekertje Fanta.

Danique scheurt de verpakking van ons cadeau. Het is een plastic tiara. Ze slaat hem kapot op de tegels en krijgt dan een stuk taart.

We vinden een plekje in de cirkel.

'Ze ken al het verschil tussen plassie en poepie,' zegt Daniques moeder. 'Ze is echt heel slim.'

Slagroomtaart wordt op kartonnen bordjes rondgedeeld.

Nick stapt in het midden van de cirkel. 'En nou gaan we zingen.' Hij begint en klapt de maat. Oma en buurvrouw vallen in. De rest volgt schoorvoetend.

Danique komt op het geluid af. Ze krijst enthousiast. Ze hebben dit geoefend, besef ik. Dat moet wel. Hoe kan dat kind anders weten hoe 'Er is er een jarig' klinkt?

Daniques opa komt met de videocamera in de cirkel staan. Langzaam draait hij rond en filmt een voor een alle aanwezigen.

Hij is nog maar vier mensen van mij verwijderd. Ik kijk naar mijn vriend, die uit volle borst meezingt. Drie. Ik houd niet van zingen. Twee. Ik wil nooit kinderen. Een. Ik haat familie en de camera is op mij gericht. Ik word vereeuwigd, terwijl ik 'Lang zal ze leven' playback.

Daarna moeten we koekhappen. Oma gaat door haar rug.

Langzaam kakt het feestje in. Bij de rondrennende kinderen is de kleurstof uitgewerkt en de volwassenen hangen wat lamlendig in de witte tuinstoelen. De buren en vrienden nemen afscheid.

Het is tijd voor Daniques dutje. We mogen blijven, mits we fluisteren. Ik kijk smekend naar Rob, maar die knijpt in mijn schouder en zegt: 'Gezellig, hè?'

De familie staart elkaar aan. Ik drink mijn bekertje Fanta leeg.

'Ik weet wat,' fluistert Rob. 'Zakdoekje leggen!'

Nick springt op, haalt een snotlap uit zijn achterzak en zwaait ermee door de lucht. 'Goed idee, broer!'

Ik verexcuseer me en ga naar de wc. Boven de pot hangt een foto van de blauw dooraderde uiertiet van Daniques moeder. Aan de tepel hangt het monster.

Ik kots de wc onder. Klodders slagroomtaart in lauwe Fanta. Ik leun nog een tijdje met mijn hoofd tegen de Forever Friends-verjaardagskalender.

Als ik de kamer in stap, zie ik vijf volwassenen stilletjes zakdoekje leggen.

'Ik voel me niet zo lekker,' zeg ik, blij dat ik een reden heb om weg te gaan.

Buiten kijkt Rob me kwaad aan. 'Jij weet altijd alles te verpesten. Ik had net de zakdoek gekregen.'

'Het spijt me,' zeg ik. Het zuur brandt in mijn keel. 'Het spijt me echt.'

Omar Dahmani

In den beginner

In den beginne was er geen kankermoer. Nou hoor ik je denken dat niets helemaal niet kan zijn. Maar jij hebt helemaal niks te vertellen, want het is mijn verhaal. Fuck you, er was niets. Helemaal donker en stil was het. Denk ik. Dat is wat ik me voorstel bij dat er helemaal niks is. Dat het helemaal donker en stil en saai is. Dit duurde een eeuwigheid. Plots was er, als we blanke wetenschappers mogen geloven, zo'n 14 miljard jaar geleden, een gat met oneindige dichtheid (vergelijkbaar met dat tussen de benen van je moeder) van waaruit allerlei soorten materie, straling en energie zijn geknald. BOOOOOOOEEEEEEM. Uit deze explosie ontsproten zich hemellichamen en shit en daarna allemaal levensvormen in ons heelal. Een dapper klein eencellig organismpje ging, benieuwd als het was naar wat de betekenis was van zijn plotselinge ontstaan, op pad om zichzelf te evolueren en ondertussen chillde het naar hartenlust. We noemen het beestje ONKELTJE. Elke dag voor een periode van superveel jaren deed Onkeltje dat wat eencellige beestjes doen. Namelijk rondfladderen. Hij fladderde langs alle andere nieuwe levende shit en shit. Gewoon chill, weet je wel. Niets moest, alles kon. Er was nog geen justitie. Alles was helemaal oké.

Omdat dit wezentje zo soepel door deze nieuw gevonden mogelijkheden en uitdagingen heen wist te glijden, begonnen er zich oogjes aan de voorkant van zijn shit te vormen, kwam er een vin uit zijn rug en langzaam veranderde Onkeltje in een oervis. Hij plaagde samen met zijn visvriendjes allemaal vismeisjes om viskusjes te vragen, terwijl ze visjointjes draaiden, opstaken en uitbliezen via hun oerkieuwen. Heel intensief probeerden ze vismoney te verdienen om op een dag te kunnen ontsnappen aan de visghetto. Na enkele vruchtbare vishossels evolueerden logischerwijs wat playerhatende oergarnalen, maar niets kon Onkeltje stoppen. Hij moest en zou de eerste vis worden die meer was dan een vis alleen.

Nou, van het een komt het ander en ineens heeft dit kleine Onkeltje poten. Wow. Fucking pootjes. Chill. Dus hij naar het land zwemmen. Sneller dan normaal, omdat hij halve schoolslagaandrijving heeft. Helemaal top. Aangekomen op het land natuurlijk gelijk breakdancen. Dat begrijp je zelf ook wel. Ademen was ook super-geen probleem ineens. Zijn kieuwen verdwenen, hij kreeg longen en een grote bek. Op het land was het leven echter eenzamer voor Onkeltje. Hij was namelijk het eerste oerwezen met pootjes en longen en er was niemand om zijn breakdance-skills op waarde te schatten. Maar hij gaf niet op. Hij verkende het grote wijde land. Nou, lekker veel eten natuurlijk, rondlopen, wat dan ook.

Langzaamaan kwamen er steeds meer vissen met poten uit het water geklommen en eenieder deed zijn eigen ding en ze spraken elkaar af en toe in de McDonald's. Het is niet precies te beschrijven wat voor beest Onkeltje precies moest voorstellen op dit moment, maar niet lang hierna werd hij een krokodil. Onkel de krokodil dus met zijn mooie jas, elke vrijdagavond pokeren met een paar dinosauriërs, een paar kroko-ho's on the side, lekker aan het socialiseren. Tienduizend jaar later is hij ineens een schildpad. Als we dus de blanke wetenschappers mogen geloven. Dezelfde wetenschappers die aids hebben bedacht. Een paar duizend jaar later krijgt-ie ineens haren. Een schildkrokopad turned aapmens. Ik verzin dit niet. Maar heftig is het wel.

Een behaarde rug, een knuppel en een vrouw met tieten en maar dingetjes tekenen op een muur. Onkeltje ging superlekker. Er waren allemaal andere dieren die hij dood kon knuppelen en op kon eten, hij kon dat dingetje tussen zijn benen af en toe in zijn behaarde vrouw gooien en eens in de zoveel tijd vielen er lieve baby-aapjes uit die bitch. Met wie hij na een tijdje voetbal kon kijken en shit. Op een gegeven moment, na een ruzie over de afstandsbediening, schopt Onkeltje zijn vrouw zo hard ergens vanaf dat hij het wiel uitvindt. Top.

Zo bleef een kleine Onkel zich voortontwikkelen tot hij in 1989 werd gereïncarneerd in het lichaam van een kleine Marokkaan. Hij was het product van een lieve Marokkaanse vrouw die hem en zijn oudere broer alleen opvoedde in Amsterdam-Noord, en van een Marokkaanse hasjboer die in Marokko verbleef met zijn drie andere vrouwen en talloze andere kinderen. In Noord ging Onkel naar een christelijke basisschool, en in het weekend naar de moskee voor Arabische les. Toen hij twaalf werd, ging hij naar een christelijke middelbare school, waar zijn afkeer jegens de westerse beschaving begon toe te nemen. Hij kapte na een paar jaar met deze school en werd een bekende artiest en een crimineel tegelijk. Deze beide dingen liepen op een gegeven moment zodanig door elkaar heen dat zijn notie van goed en slecht steeds meer vertroebelde. Hij heeft een boek geschreven over zijn bewogen leven. En over dat boek, heb ik, Omar Dahmani, een boek geschreven. En een rap-album volgerapt. Beide

Stella Bergsma

Bitch

De wereld is mijn bitch
als ik zeg zit
dan zit ze
als ik zeg af
gaat ze af

de wereld is mijn bitch
als ik zeg zit
zit hij
als ik zeg af
gaat ie af

Ik gooi mijn leven weg
en roep
pak
apport
hier
en dan komt ie
in mijn mond
lik mijn lippen als een dier
mijn slet
mijn hoer
mijn teef

mijn sloerie
hoog en hoon gehakte hond
koest bitch
af bitch
rond bitch, rond

de wereld is mijn bitch
en het baasje ben ik
hier bitch heen
rijd mijn been met je pik
ik zeg af
ik zeg kots
ik zeg schijt
ik zeg lik
ik zeg draai bitch draai
want de wereld is mijn teef
geef poot
speel dood
terwijl ik speel dat ik leef.

De man als hoedje

Mag ik je chocoladeovergoten
ik had graag jouw blik voor het ontbijt
je pik voor lunch

mag ik je in een toaster
op een poster
je naam verzinnen
je kleertjes knippen
en om je schouders vouwen

mag ik je jonger, ouder
in een lijstje
met een lintje
als een meisje
als een kindje

mag ik je groot, groter, grootst
bloter, blootst
geiler, geilst
nu
straks
later, eerst

mag ik je aantrekken
als een jas
opzetten
uitpakken

als een pakje
pak, pak me
je passen als een paspop

mag ik dat je doorgaat
dat je nooit stopt
altijd doorgaat
tot ik kom
mag ik je chocolade overgoten
met gekleurd papier erom.

Hallelujah

Gras en sperma
Alles bloeit en is rijp
In ons haar waait de wind
En wat ik het mooiste vind
Je zegt mijn naam als ik je pijp.

Arie Boomsma

Speedo

Mienke miste de bedrijvigheid van het bosbad, de zweem van seksualiteit die hing over bijna alles wat daar gebeurde. Al zou ze dat zelf niet snel zo zeggen. Over seks sprak je niet. Het was ook lang geleden dat zij en haar man intiem waren geweest. Ze hadden verder een goede relatie, maar er was gewoon niet veel te zeggen. Om de zoveel maanden gingen ze samen naar de camping en als er een grote vogelshow was, ging Mienke kijken hoe haar echtgenoot zijn parkieten trots liet zien aan de plaatselijke middenstand van kleine provincieplaatsen als Stiens, Leersum en Hardenberg. Haar man ging op zijn beurt mee naar de vlooienmarkt in hun eigen woonplaats, waar Mienke elk kwartaal zelfgebakken appeltaart verkocht voor het goede doel, een jong zendelingenechtpaar in Sri Lanka. Er was dus interesse in de hobby van de ander, en eigenlijk nooit echt onenigheid. Ze wisten wat ze van elkaar konden verwachten, de rollen waren duidelijk verdeeld en daar waren ze allebei tevreden mee. Maar sinds Mienke was wegbezuinigd bij het bosbad, miste ze seksualiteit steeds meer. Ze merkte dat het denken aan de jonge lichamen, de badkleding die door de jaren heen steeds meer op ondergoed was gaan lijken, en de permanent aanwezige kans op seksuele interactie die rond de tieners in het zwembad hing, dat gemis toch minder maakte. Soms wilde ze teruggaan. Maar dat kon natuurlijk niet. Ze was te oud, niet meer welkom ook. Tegenwoordig maakte ze een paar keer per maand het huis schoon van een makelaar in Ugchelen. Tijdens dat werk dacht ze regelmatig aan haar jaren in het bosbad. De geur van lichamen in de puberteit, zweet dat nog niet verhuld werd door wolken parfum en deodorant. Jeugdige lijven die zich strekten naar een bal, spieren die samentrokken wanneer een groep jongens achter een meisje aan rende, haar vervolgens in het water slingerde. En het gelach, nog geenszins bewust van een biologische houdbaarheidsdatum, die Mienke zelf zo verlammend vond in haar leven.

Aan al die dingen dacht ze, tijdens het schrobben van de vloer, net na het strijken als het ijzer stoom afblies, of bij het wegzetten van het afval. Het gaf haar een warm gevoel. Een sensatie die eigenlijk nieuw voor haar was. 'Werk je niet te hard,' had de vrouw van de makelaar een keer tegen haar gezegd, toen ze het fornuis schoonmaakte, 'je bent helemaal rood.' Mienke had zich ervoor geschaamd. Stel je toch eens voor, had ze gedacht, dat die vrouw haar gedachten kon lezen. O, er waren dagen dat Mienke huilend naar huis fietste. Ze wilde deze dingen niet denken, maar hoe meer ze zich op andere zaken probeerde te concentreren, hoe meer de perverse gedachten over de jeugdige lichamen zich aan haar opdrongen. Het kant van de slipjes die ze soms vond bij het opruimen, de vieze woorden die de jongeren gebruikten, maar bovenal dat smachtend verlangen naar het fysieke contact dat op die leeftijd nog zo nieuw was. Mienke vreesde dat verlangen steeds meer te herkennen, steeds meer ook te willen ervaren. Het beangstigde haar. Ze had het nooit eerder zo gevoeld.

Wanneer ze op dat soort dagen – en het waren er de laatste tijd steeds meer – 's middags thuiskwam, rende ze direct naar het waskamertje op zolder. Haar Mephisto's schopte ze halverwege de trap uit, iedere keer weer. Met een daadkracht die ze van zichzelf niet kende pakte ze dan het enige souvenir dat ze uit haar tijd in het bosbad had overgehouden. Een zwembroek. Eigenlijk een slip. Tegenwoordig droegen de jongens van die lange broeken, bermuda's meer, vrolijk gekleurd, maar deze was kort en ooit duidelijk gevuld door een flink geslacht. De stof was uitgerekt, al die jaren was dat zo gebleven. Mienke had nooit precies kunnen benoemen waarom ze hem meenam die dag. Het moest toch minstens veertien jaar geleden zijn, inmiddels. Zonder te aarzelen had ze hem in haar handtas gestopt. Pas thuis durfde ze er goed naar te kijken, een zwarte Speedo. Het merkje was eraf gesleten. Heel even had ze haar gezicht in de slip geduwd. Chloor rook ze, maar ook iets anders. Zweet, urine... ze wist het niet precies, maar schrok er zo van dat ze de zwembroek diep achter in een la verstopte, en hem daarna nooit meer tevoorschijn had gehaald. De laatste tijd pas weer, en ook nog eens met steeds meer regelmaat. Ze legde hem op de vloer en ging er met haar blote voeten op staan. Of soms met pantykousen. Als ze dan de zachte stof een tijdje onder haar voeten gevoeld had, ging ze op de grond liggen. Met haar hoofd op het broekje.

Zo lag Mienke daar nu ook. Ze hoorde haar eigen hart tekeergaan, haar wangen waren vuurrood. Meer nog dan de eerdere keren wakkerde het gevoel van de zachte Speedo tegen haar wang iets in haar aan dat haar beangstigde, en tegelijkertijd had ze het nodig. Dat ook, ze kon er niet langer omheen draaien. De Speedo uit het bosbad was in korte tijd onmisbaar geworden. Ze bewoog haar wang eroverheen.

'O, Speedo,' zong ze zachtjes. 'Oooo, Speedootje, mijn lieve zachte Speedo. O, Speedootje, wat maak je mij toch blij.'

Het was lang geleden dat Mienke bloot door het huis had gelopen. Ze kon het zich niet precies herinneren, maar waarschijnlijk was het als kind. Al waren haar ouders niet van het soort dat de eigen kinderen in hun blootje door het huis laat lopen. Toch voelde het jeugdig wat ze deed. Alsof ze weer aan het begin stond van iets nieuws. Een tweede leven misschien wel. Een paar keer eerder had ze het de afgelopen weken geprobeerd, zodra haar man de deur uit was gegaan. Direct na het wassen – Mienke douchte zich niet elke dag, soms volstond een washand bij de wasbak – was zij bloot de badkamer uit gelopen. Maar ze was niet verder gekomen dan de hal. Angstig en toch ook wat beschaamd was ze terug gerend om een badjas aan te doen. Een paar dagen later had ze diezelfde badjas midden in de woonkamer even van haar lichaam laten glijden. Met de gordijnen dicht, maar toch. Verder was ze niet gekomen, maar die kleine momenten voelden als een bevrijding. Daar ging het om. Bevrijd worden. Mienke wist misschien niet waarvan, maar dat ze bevrijd wilde worden, stond als een paal boven water. En dat het bloot moest gebeuren. Dat ook. Zover was ze dus op de ochtend dat ze voor het eerst echt lang in haar blootje door het huis liep. Zo nu en dan vlijde ze het kleine gedrongen lichaam even tegen de trapleuning, of de jassen aan de kapstok. Ze probeerde zo veel mogelijk reguliere handelingen te verrichten. Maar dan naakt. Zo vouwde ze de krant van haar man op en legde hem bij het oud papier, ze deed de afwas en gaf de planten water. Soms deed ze de badjas weer even aan, alleen maar om hem opnieuw van haar lichaam te laten glijden. Steeds weer die bevrijding. Het voelde alsof er zoveel meer van haar af gleed. Ze wilde zingen. Dansen. Heel voorzichtig zette ze een lied in. Iets van Nick en Simon. Al zingend danste ze door de woonkamer. Nou ja, dansen, eigenlijk leek het meer op marcheren, houterig en gedisciplineerd. De korte, stevige benen stampten driftig op en neer. Maar het voelde als dansen. Het voelde alsof ze een vlinder was, fladderend van bloem tot bloem.

Toen ze uiteindelijk alles gedaan had wat ze normaal gesproken op een vrije dag ook deed, was het tijd om de Speedo te pakken, de zwembroek uit het bosbad. Dat deed ze nu bijna dagelijks. Maar vandaag was ze meer van plan. De Speedo bracht haar niet meer de verrukking die hij eerder steeds bracht. Bovendien was deze dag een aaneenschakeling van euforische momenten geweest. Dat kon geen Speedo meer toppen. Nee, er moest een volgende stap gezet worden. Alleen al de gedachte daaraan gaf haar een voldoening die ze in geen jaren gevoeld had. Maar het was ook een beetje eng. Er kon van alles misgaan. Daar moest ze maar niet te veel aan denken. Denk aan de hoogtepunten van deze heerlijke dag, droeg ze zichzelf op. En terwijl ze de Speedo tevoorschijn haalde, dacht ze aan de afglijdende badjas, aan het moment dat ze eerder die dag naar de wc was gegaan en er, na het afvegen, zo weer uit was gelopen, bloot. Alles bloot. Bloot en bevrijd.

Mienkes echtgenoot was gewend haar aan de keukentafel te treffen als hij thuiskwam na zijn werk of een vogelshow. De pannen op het gas, soms zelfs al op tafel. Nu zag hij haar nergens, de tafel was nog niet gedekt. Hij legde de derde prijs die zijn kanaries die dag gewonnen hadden, een vaantje, op een tafeltje bij de kapstok en ging naar boven.

'Vrouw,' riep hij door het huis. 'Mien?' Op de overloop

riep hij haar naam nog een keer. Hij wilde doorlopen naar het waskamertje op zolder, toen hij zag dat de slaapkamerdeur op een kier stond. Voorzichtig duwde hij de deur verder open. Daar lag zijn vrouw, bloot, op bed. Blozende wangen. De blik in haar ogen kende hij niet. Wild, neigend naar krankzinnig, zoals de koeien vroeger keken op de boerderij van zijn vader, als ze koorts hadden of zwanger waren. En lag daar nu een herenzwembroek op haar borsten? Er kwamen meer vragen in hem op. Hoe kwam zij aan die zwembroek? Het was duidelijk een mannenmodel. En waar had ze haar eigen kleren gelaten? Maar hij stelde een andere vraag. Belangrijker nog. Eerst keek hij op z'n horloge. Toen zei hij gedecideerd: 'Moesten we niet eens aan tafel, vrouw?'

Dit verhaal is een bewerking van een scène uit Aries roman *Relishow* (Prometheus, 2011).

Willem Bosch

Wrong tent, boy

Ouder worden is niks meer dan het constante ontmantelen van alles wat waarachtig is als kind. Zo heb ik de afgelopen jaren moeten leren dat takken bezwijken onder mijn gewicht als ik in bomen probeer te klimmen. Dat scheten niet meer garant staan voor high fives. Dat meisjes versieren méér inhoudt dan aan de staart trekken en keihard wegrennen. Het is niet eerlijk.

Vroeger was het ook zo gemakkelijk om vrienden te maken. Er was ooit een dag dat ik hetzelfde Space Jam-T-shirt droeg als een jongen van twee straten verderop. We werden bloedbroeders.

Wat ik nog meer mis dan mijn ontelbare vrienden is het tegenovergestelde: mijn vijanden. Volwassen mannen hebben geen vijanden. We hebben mensen die we niet mogen. Vermoeiende collega's en passief-agressieve buurmannen. Mensen die we liever ontwijken of erbij lappen als er weer twee nietmachines op kantoor verdwenen zijn. Alleen superhelden, natiestaten en jongens van tussen de acht en de dertien hebben vijanden. Het is een titel. Een band, net zoals vriendschap, die wordt nageleefd met een bijna religieuze toewijding. Een vijand heb je voor het leven en kan alleen maar eindigen in een gewelddadige en bloederige apotheose van kinderknokkels en kapotte melktanden.

Nu was mijn grootste wens als kind om doodsangst in de harten van mijn vijanden te planten. Dat ze naar bed gingen en wakker werden met angstdromen van mijn bijbelse furie en leger van pijltjespistolen en kurkenschieters.

Helaas was ik als kind niet al te intimiderend. Nog steeds niet, trouwens. Ik heb één keer gevochten in mijn volwassen leven en daarbij mezelf een bloedneus geslagen. Echt waar.

Daarom wil ik de mogelijkheid niet onbenut laten het volgende verhaal te vertellen. Het verhaal van hoe ik ooit op een camping in Frankrijk de tent van een van mijn vijanden binnendrong en hem bedreigd heb met een pistool.

Dit is echt gebeurd.

Het was op een camping in Zuid-Frankrijk, een week voor mijn tiende verjaardag. We waren twee dagen daarvoor aangekomen met de caravan. Mijn ouders, mijn twee broers en ik, Willem – John Wayne – Bosch.

Eerste dagen op de camping zijn altijd moeilijk. Je moet snel vrienden maken en snel weer afscheid nemen. Het was die eerste middag dat ik een aanvaring had met Nicky, die al vijf weken op deze camping verbleef. Nicky had voor zover ik weet geen achternaam. Wel had hij een ongelofelijk stom kapsel, meer tanden dan zijn mond nodig leek te hebben en een eigen tafeltennisbatje. Ik haatte hem meteen.

De kinderen speelden een potje rond-de-tafel-tafeltennis waarbij er elk rondje één iemand moest afvallen. Na drie rondjes waren alleen Nicky, een spectaculair dik meisje en ik nog over. Nicky serveerde met zijn meegebrachte batje en kwam te snel op me af. Ik zag een kans een leep balletje terug te slaan en een seconde langer te blijven staan, om zo Nicky's smash te saboteren.

Ik wist als negenjarige echt niet alles in het leven. Zo dacht ik zeker te weten dat borsten twee baby's waren die naar beneden zakten als een vrouw zwanger raakte. Maar één ding wist ik toen, en nu nog steeds, zeker: bij rond-de-tafel-tafeltennis mocht je saboteren. Dat was zelfs het hele punt, waarom zou je anders met zo'n klein tafeltje spelen?

Nicky.

Nicky was zich duidelijk niet bewust van deze regel en daagde mij, voor de neus van mijn twee broers nota bene, uit voor een vuistgevecht. Dit escaleerde binnen enkele seconden tot een duw- en trekcircus. Zware woorden vielen. Kutlul. Teringhomo. Schijtmongool. Het was lelijk.

Nicky dreef ons sportieve dispuut tot de rand van het ravijn toen hij deed alsof hij iets uit zijn broekzakken haalde om vervolgens twee middelvingers tevoorschijn te toveren. In alle eerlijkheid: hij voerde de move foutloos uit. Een nieuwe aartsvijand waardig.

Ik zwoer wraak en rende zo hard als ik kon terug naar mijn eigen tent. Om daar na een minuut of twintig het hele voorval te vergeten. Waarschijnlijk omdat ik ergens een grappige stok op de grond zag liggen.

Een dag later reed ik met mijn vader naar een van die dorpjes zoals elke Franse camping er eentje vlakbij heeft. Een verzameling van twintig straten, een dorpscafé, een kolossale supermarkt en, in dit geval, een winkel die het midden hield tussen een speelgoedwinkel en een kringloop. Ik ging graag met mijn vader boodschappen doen omdat hij de Franse franc maar niet op zijn juiste waarde wist te schatten. Twee keer per week vroeg ik hem of ik in mijn eentje een ijsje mocht gaan halen. En telkens gaf hij me genoeg geld om een kleine Franse auto te kopen.

Voor in de speelgoedwinkel/kringloop zat een oude Franse dame aan een houten toonbank die ook te koop was. Ze wees me de stellingkasten vol stripboeken achter in de winkel en viel opnieuw in slaap. Hier vond ik twee Nederlandse *Lucky Lukes*. En een pistool. Ik hield van Lucky Luke omdat ik geobsedeerd was door cowboys. Ik hield van pistolen om dezelfde reden.

Het was een speelgoedpistool in zoverre dat je er niemand mee kon doodschieten, waarschijnlijk. Daar hield de vergelijking ook op. Het was een schitterend ding. Een echt houten handvat, schroeven diep in pikzwart ijzer. Een trekker die met een harde *klik* naar achteren ging waardoor de haan gespannen werd. Een dunne, slanke loop – onder vierkant, boven rond – met op de zijkant, gegraveerd: DESERT EAGLE. Honderd franc. Koopje.

Het enige nadeel was dat er op het uiteinde van de loop een rood plastic puntje zat dat onmiddellijk de illusie doorbrak. Er zat zelfs een gebruiksaanwijzing bij die het verwijderen van dat dopje expliciet verbood omdat het anders te veel op een echt pistool zou lijken. Briljant.

Die middag was ik de held op de camping. Dat wil zeggen: ik was de held bij het selecte groepje vertrouwelingen dat ik had uitgekozen om dit geheim met mij te delen. Het waren eigenlijk alleen mijn twee broers. Maar dat was genoeg om mij te wreken op mijn aartsvijand. Met het zakmes van mijn vader wrikten we het rode dopje eraf. Ik weet dat kinderfantasie graag wat mag overdrijven, maar ik weet hónderd procent zeker dat je met dat pistool nu nog een bank zou kunnen overvallen.

Lastiger was deel twee van ons plan. Ik had nu een pistool waar ik niet mee kon schieten en een aartsvijand die rustig

20 centimeter groter was dan ik. Het kwam nooit in me op om Nicky daadwerkelijk te *bedreigen* met de Desert Eagle. Ik dacht meer aan doen alsof ik het ding aan hem cadeau ging geven om hem daarna heel snel terug te pakken. Of misschien zou ik hem er een klap mee geven. Zoiets.

Wee gij, die Willem Bosch, de wraakengel, belachelijk heeft gemaakt.

Die nacht sliep ik in een pyjamabroek en mijn Space Jam-shirt, met mijn Desert Eagle onder mijn kussen. Het was een prettig gevoel om wat bescherming te hebben. Zeker omdat ik al jaren onrustig sliep op campings. Ik wilde nog wel eens gaan slaapwandelen in een onbekende omgeving. En met 'wel eens' bedoel ik die nacht, met mijn Desert Eagle in mijn handen.

Ik moet op zoek zijn gegaan naar de wc. Het duurde te lang voordat ik, slapend, de rits van mijn slaapzak open kreeg en vervolgens te lang om de rits van mijn tent open te krijgen. Slaapwandelend ben ik op zoek gegaan naar de wc's van de camping. *In trance*, mocht ik later graag denken. *Mijn instinct volgend, op zoek naar mijn aartsvijand.*
Maar ik was toch echt gewoon aan het slaapwandelen.

Na een vruchteloze zoektocht naar de camping-wc's stond ik weer in de grote familietent om mijn slaapzak te zoeken. Met een toeval dat in films te ongeloofwaardig zou zijn stond ik boven een luchtbed dat al bezet was. Het luchtbed van Nicky, om precies te zijn. In de verkeerde tent. Midden in de nacht. Met mijn Desert Eagle tegen zijn voorhoofd.

Sweet revenge.

Ik moet erbij zeggen dat ik mijn plas niet langer op had kunnen houden. En dat ik Nicky in eerste instantie aanzag voor mijn moeder. En dat ik onophoudelijk moest huilen toen de vreselijke waarheid aan het licht kwam.

Een waarheid die overigens nog niet zo gemakkelijk uit te leggen is aan de Franse politie, die midden in de nacht werd gebeld. Ik had, buiten het zicht van mijn vader, een replica van een Desert Eagle gekocht in een Franse kringloopzaak om die nacht in de tent van een jongen te kruipen met wie ik *een dag daarvoor* ruzie had gehad ten overstaan van zo'n beetje de hele camping. Er zijn mensen voor minder twintig jaar achter slot en grendel gezet.

Maar niet jongens van negen, zo bleek al snel. De vader van Nicky kon er zelfs wel om lachen toen alles duidelijk werd. Hij pakte me bij mijn schouder, deed zijn beste John Wayne-accent en sprak de in mijn familie inmiddels legendarische woorden: '*Wrong tent, boy.*'

Tot mijn enorme opluchting waren Nicky en zijn ouders twee dagen later vertrokken en was mijn aartsvijand zo nobel geweest het voorval niet nog even aan alle andere kinderen te vertellen. Zo ging dat toen met een waardige vijand.

Tot op de dag van vandaag verbaast het me dat niemand eraan dacht het pistool van me af te pakken. Het ding ging mee naar huis, tussen mijn kleren in mijn weekendtas, over de grens langs enkele douanecontroles, langs het toeziend oog van mijn moeder en de kleptomane handen van mijn broers.

Tot twee jaar later, toen mijn Desert Eagle ineens kwijt was. Weggegooid door mijn vader, al werd dat door hem ontkend. De man kon net zo slecht liegen als guldens naar francs omrekenen.

Het was misschien wel het begin van het einde. Mijn eerste jeugdtrofee die verdween in de grote prullenbak. Op weg naar volwassenheid.

Soms denk ik nog wel eens terug aan alle vijanden die er sindsdien goed vanaf zijn gekomen. En soms hoop ik nog wel eens dat een vervelende collega of een zeurende buurman een keer mijn échte vijand wil zijn in plaats van een beschaafde irritatie. Zoals vroeger. Hoe mooi zou dat zijn.

Maar dan herinner ik me weer dat ik niet als een echte cowboy kan overkomen zonder onmiddellijk daarna wakker te schrikken en mezelf onder te zeiken.

Het is niet eerlijk.

Johan Fretz

Op zomerkamp met Luna

Van het Grote Theater Zomerkamp herinner ik me nog: de geur van een tent die een jaar lang opgepropt in de schuur heeft gelegen, de smaak van goedkope supermarktboter aan de ontbijttafel, het geluid van de vals gestemde gitaar van Rongo, een zelfingenomen Amsterdamse jongen die op de Vrije School zat en natuurlijk: Luna.

Het idee achter het Grote Zomer Theaterkamp was dat je er als jongere niet alleen maar kwam om te drinken, te feesten en te flikflooien, maar ook om iets te leren. Natuurlijk kwam je alsnog alleen maar om te drinken, te feesten en te flikflooien, maar overdag volgde je workshops in toneelspelen en theater maken. Dat gaf ouders het gevoel dat ze hun kind niet naar een wilde week stuurden, maar naar iets cultureel verantwoords. Het mag dan ook geen toeval heten dat er veel kinderen op het kamp rondliepen die thuis wel naar *Villa Achterwerk*, maar niet naar *Telekids* mochten kijken. De begeleiders van de groep waren acteurs en regisseurs, mensen die toen zo oud waren als ik nu, vaak vrijgevochten types die er met elkaar zodra wij sliepen ook een wilde bende van maakten. Het meeste toneelspel vond buiten de workshops plaats.

Vier jaar achtereen, van mijn dertiende tot mijn zestiende, ging ik naar dat zomerkamp en altijd werden alle jongens daar verliefd op Luna. Zonder uitzondering. Heel vanzelfsprekend was dat niet, want Luna was niet per se de mooiste, de slimste, of de liefste en of ze gevoel voor humor had viel ernstig te betwijfelen. Natuurlijk lachte Luna om de grapjes van de jongens, zoals meisjes om grapjes van jongens lachen, maar of zij op haar beurt ooit de jongens aan het lachen kreeg: dat durf ik niet te zeggen. Ik denk het niet. Niet echt althans: niet oprecht hard aan het lachen. Jongens lachen vaak om meisjes het gevoel te geven dat ze grappig zijn, in de hoop dat die meisjes daardoor vermoedens van verliefdheid in hun onderbuik voelen opborrelen. Zo zal ikzelf ook vast wel eens om Luna hebben gelachen toen, op zo'n veld, in een tent, om iets wat ze zei of deed, net iets te hard, te opzichtig, met zo'n lach die stille, hormonale verlangens overschreeuwde. Maar in Luna's onderbuik ontstond door mijn onoprechte, goedbedoelde gelach nooit een vermoeden van verliefdheid, nee zelfs geen verdwaalde vlinder.

Ondanks al haar onhebbelijkheden was het toch volkomen vanzelfsprekend dat je verliefd op Luna werd. Als je in haar nabijheid verkeerde, werd je week en willoos. De jongens vielen in één oogopslag in katzwijm en de andere meisjes konden alleen nog vol wanhoop en afgunst toekijken hoe de paringsdans zich voor hun ogen voltrok. De meisjes die het meest jaloers waren op Luna, zorgden vaak dat ze beste vrienden met haar werden, zodat ze de jongens die door Luna werden afgewezen konden overnemen. Vrouwen zijn slimmer, ook op die leeftijd al. Ze verspreiden hun opties en voorkomen daarmee een hoop teleurstellingen. Jongens zijn anders. Ze lopen hun ding achterna, ja: klopt, zeker, maar dat ding wijst vaak wel maar naar één vrouwspersoon tegelijk. Ik hoefde op dat hele zomerkamp niks van Tessa, niks van Eva, Suzy, Liza en ook niet van Carla, al scheelde dat qua voornaam maar een paar letters. Ik wilde niet een stukje met ze lopen als we rond het kampvuur zaten, ik hoefde hun lippen niet te proeven, ik wilde niet aan hun borsten zitten onder een slaapzak: ik wilde Luna. Heel mijn jongenshart hunkerde naar haar.

Luna en ik hadden elkaar ontmoet bij de eerste editie van het zomerkamp, toen ik dertien was en zij veertien. Ja, ze was ouder. Dat had ik al als een ongunstig voorteken moeten zien, maar wat wist ik ervan: ik was dertien. Luna had in dat eerste jaar op de derde dag een fles water over mijn hoofd gegooid, terwijl ik tijdens een gezamenlijke corveedienst stond af te drogen. Toen begon ze te giechelen en om me heen te dartelen, opdat ik achter haar aan zou rennen. En ik, zeiknat, rende achter haar aan. Het hele veld over, tussen de tenten door, zonder over touwen te struikelen, wat gezien mijn motoriek een klein wonder mag heten. Ik rende achter Luna aan tot ik niet meer kon, achteraf bekeken een mooie symbolische voorbode van hoe onze band zich zou ontwikkelen. Eenmaal uitgerend leunden we hijgend tegen een grote oude eik. Ze vertelde me haar naam, dat haar horloge kapot was, dat mijn kleren snel weer droog zouden worden in de zon. Ze vroeg of ik er wel eens over had nagedacht gel in mijn haar te doen, of ik zelf een horloge had, waarom ik het hele kamp Bekende Nederlanders imiteerde, wanneer mijn beugel eruit mocht. Nee – nee – omdat ik het leuk vond – waarschijnlijk over een jaar.

Luna en ik waren elkaar na het eerste zomerkamp brieven gaan schrijven. Lange brieven. Pagina's vol puberale bespiegelingen over het leven: simpele gedichten, gedachten en zinnen waarvan we dachten dat ze oorspronkelijk en origineel waren, pogingen tot diepzinnigheid. Elk woord was doordrenkt van het verlangen naar de volwassenheid die nog zo veilig ver van ons af stond. Toch waren het mooie brieven, ze waren ontdaan van cynisme, ze waren oprecht, zuiver. Natuurlijk, oprechtheid zegt niks over kwaliteit, als ik ze nu terugles zie ik dat het heel slecht geschreven en pathetische brieven waren, maar aan onze beider handschriften kun je nog altijd zien hoeveel ze voor ons betekenden: zo zorgvuldig, zo sierlijk staan die letters op het papier. Dat je zulke inwisselbare gedachtes met zo'n onvoorwaardelijkheid kunt opschrijven: kon ik dat nog maar.

Als we niet schreven, belden we elkaar. We belden elkaar minstens drie keer per week. Haar ouders namen altijd opgewekt op als ik belde, alsof ze zich met veel voorpret voorbereidden op het onvermijdelijke: dat ik toch eens hun schoonzoon zou zijn. Haar vader vroeg me altijd iets over de laatste voetbaluitslagen en zei dan dat hij zo blij was dat hij eindelijk met een jongeman sprak die iets van voetbal wist. Maar ik wist nauwelijks iets van voetbal. Haar moeder giechelde vaak zoals Luna zelf als ze mijn stem hoorde en riep dan naar boven. Daar werd een tweede hoorn van de haak gepakt. Luna. Zo blij om mijn stem te horen, zei ze. Er was zoveel te vertellen, zei ze. Ze vertelde me alles. Wat ze gedaan had die dag, wat voor feestjes er waren geweest, welke feestjes er aan kwamen, welke feestjes er eigenlijk zouden moeten worden georganiseerd. Ze had vriendjes, vaak ja. Ze woonde in Leiden dus de vriendjes heetten meestal Bart-Jan, of Sjoerd-Kees, of Klaas-Evert. Ik beet op mijn lip en hoorde de verhalen aan over die geluksvogels: over hoe ze met haar zoenden, haar mee uit namen, uit eten, naar de bioscoop, hoe ze met haar dansten, hoe ze soms zelfs al een stap verder met haar mochten gaan, maar vooral hoorde ik hoe ze haar niet goed begrepen, hoe ze uiteindelijk vaak zo gevoelloos waren, dat ze haar niet echt zagen voor wie ze was, dat ze niks aan ze had. Vaak verzuchtte ze dan dat ze zo blij was dat ik er was, omdat ik haar wel begreep, omdat ik zo goed kon luisteren. Dat waren hoopgevende woorden: het was gewoon een kwestie van geduld hebben, wachten op het juiste moment. Natuurlijk was Luna nu met al die stumpers in de weer, maar dat was alleen maar tijdverdrijf, dat kon ook niet anders, de afstand tussen Leiden en Almere was nu eenmaal veel te groot, daarom konden wij niet samen zijn. Maar stiekem zou Luna dagdromen, net als ik, over hoe het zou zijn als wij elkaar eenmaal weer zouden zien.

Als we niet schreven of belden, zaten we op MSN. MSN was wat Facebook-chat nu is. Je praatte er met elkaar, hele gesprekken voerde je op dat medium. Op den duur voegden ook schoolvriendinnen van Luna mij toe en begonnen mij te vragen wie ik was en wat ik deed. Nog zo'n gunstig teken: die meisjes wilden natuurlijk weten wie de toekomstige grote liefde was van hun lieve vriendin. Volkomen terecht. En ik liet me op die digitale spreekstoel van mijn beste kant zien.

Ik was, als ik er zo op terugkijk, inderdaad dommer dan een ezel, begreep nog niks van hoe de natuur en het spel werkten. Ik was vol goede moed en voelde me daarin gesteund door mijn vrienden. Als wij zo vaak belden en schreven, zo dachten ook zij: dan moest er wel iets moois in de lucht hangen. Had ik maar met een meisje gesproken, een meisje dat me had kunnen uitleggen dat het zo nooit in elkaar steekt.

Toen het tweede zomerkamp begon, stond ik vol verwachting bij mijn tent, toen Luna met haar rugzakje het terrein op liep. Ze omhelsde me vluchtig, giechelend en drukte haar mond op mijn wang. Ze zei dat ze eerst maar eens haar tent ging opzetten en gaf me een amicale klap op mijn schouders. Nog gingen er bij mij geen bellen rinkelen. Maar toen het terrein was volgestroomd met de tientallen anderen, toen de tenten eenmaal stonden, begon het me op te vallen dat Luna mij niet nadrukkelijk opzocht. Ze vroeg in het voorbijgaan of ik van plan was weer de hele week Bekende Nederlanders te imiteren, dat de mensen dat vast geestig zouden vinden. Toen liep ze naar een volgende tent, waar een jongen met een skatebroek en een petje nonchalant stond te roken. Hij sprak Luna aan, vertelde dat hij Tijmen heette.

Binnen een dag hadden Tijmen en Luna gezoend, binnen twee dagen was het aan, of zoals Luna altijd zei: 'Ik heb het met Tijmen'. Het begon nu langzaam tot mij door te dringen dat ik geen schijn van kans maakte, dat al die brieven, telefoontjes, MSN-gesprekken voor Luna slechts een toevluchtsoord waren wanneer het haar allemaal even te veel werd. We bewogen langs elkaar heen, tot de week voorbij was. Toen de week voorbij was, ging het uit met Tijmen. Toen kwam Luna haar tranen drogen in mijn trui. Ze huilde zo hard als ze kon en vertelde dat het allemaal zo moeilijk was, dat Tijmen alleen maar op één ding uit was. Gelukkig was ik er nog. Toen ik thuiskwam, vond ik na een week een brief van haar in de bus.

Na Tijmen kwam Rongo met zijn valse flutgitaar, die bij het kampvuur eigenhandig het hele repertoire van Acda & de Munnik om zeep hielp, al die liedjes die mij zo dierbaar waren. Toen was er nog Nick, die was twaalf. Twaalf! En daarna kwam Jesse, die Luna een trui aanbood omdat ze het koud had. Die vertelde dat hij in een band speelde. Die van zijn vrienden een biertje kreeg aangereikt en aan Luna vroeg wat ze later wilde worden. Luna vertelde aan de jongen dat ze zich vaak ouder voelde dan haar vriendinnen, dat ze het gevoel had dat mensen haar niet begrepen. De jongen zei dat hij dat heel goed begreep omdat hij het herkende. Hij zei dat mensen vaak dachten dat hij alleen maar stoer was, maar dat hij ook gevoelens had. Dat hij misschien soms een grote mond had, maar uiteindelijk een heel klein hartje. Luna bewoog nu dichter tegen hem aan. Ze nam een slok uit zijn flesje bier. Jesse vertelde dat zijn ouders sinds kort uit elkaar waren. Luna keek begripvol en vertelde dat haar ouders ook in een scheiding lagen. Dat wist ik allang, daar had ik tientallen brieven over moeten lezen, maar ze deelde het met Jesse alsof het een zeldzaam openhartige openbaring was. Jesse zei dat hij blij was dat er iemand was die hem begreep. Luna knikte en kroop iets dichter tegen hem aan. Bij het kampvuur kroop er nu een of ander meisje dichter tegen me aan. Ze zei dat ze mijn scène bij de workshoppresentatie van de dag heel mooi vond. Ze vroeg me iets. Ik antwoordde onverschillig, maar juist die onverschilligheid vergrootte haar belangstelling in mij. Ik probeerde te blijven luisteren naar wat Luna tegen Jesse zei, wat Jesse tegen Luna zei. Hij haalde nu een verfrommeld blaadje uit zijn broekzak. Hij zei dat hij een gedicht had geschreven over de scheiding van zijn ouders. Luna zei dat ze het graag wilde horen, waarop hij begon voor te dragen.

Gebroken Gebaar

Mijn ouders, uit elkaar
Een onverwacht gevaar
Ooit samen, zo lang
Nu samen alleen
Waar moet ik nu heen
Ben leeg en zo bang
Mijn ouders, mijn moeder
Een gebroken gebaar

Mijn vader en moeder
Ze zijn uit elkaar
En waar moet ik nu heen
Met in mijn hart pijn
Ik wil hier niet zijn
Maar ik ben hier alleen
Mijn hart bonst als een strohalm
Een laatste, maar waarheen
Och tijd, pijn, van top tot teen
Samen alleen, nu alles verdween

Nu, zoveel was zeker, zou deze Jesse zeker door de mand vallen. Ik glunderde al. Luna mocht dan voorspelbaar zijn, ze had beslist smaak en dit gedicht had de diepgang van een pak vla. Maar tot mijn verbazing reageerde Luna vol bewondering, zei ze dat Jesse echt talent had, dat het zo knap was dat hij zijn gevoelens zo mooi in woorden kon uitdrukken, dat hij er eigenlijk iets mee zou moeten doen in zijn band. Maar de band speelde meer rock, zei Jesse, dus dat zou moeilijk gaan. Daarna strekte hij zijn been en speelde opzichtig dat hij daar last van had. Hij zei dat het misschien goed was als hij even een stukje zou lopen, zodat er weer wat meer bloed door zijn been zou stromen. Bloed door zijn been, ja, ja, zo kun je het ook noemen, dacht ik: gênant, niemand die daarin trapt. Niemand, behalve Luna. Zij knikte vertederd en stond op, hielp de charlatan omhoog en verdween met hem het bos in. Het meisje dat naast mij zat vroeg nu of ik met haar naar de sterren wilde kijken voor haar tent, omdat ze het hier wat druk vond. Ik zei haar dat het te bewolkt was om naar de sterren te kijken.

Toen de nieuwste romance van Luna na twee dagen stukliep, kwam ze bij me om uit te huilen. Toen ze haar hoofd in mijn trui duwde om haar krokodillentranen te drogen, duwde ik haar van me af. Ik vertelde dat ik er geen zin meer in had. Van die mededeling schrok Luna zo intens, dat ze abrupt ophield met huilen. Ze vroeg me te herhalen wat ik had gezegd. Ik herhaalde wat ik had gezegd. Door haar tranen keek ze me glazig aan. Ik begon nu te praten, de deksel was van de pan, ik zat er zogezegd echt lekker in. Ik vroeg haar waarom ze dacht dat ik al die brieven naar haar stuurde, waarom ik drie keer per week met haar aan de telefoon hing, of ze soms dacht dat ik een hart van steen had of homofiel was? Ze zei dat ze niet dacht dat ik een hart van steen had of homofiel was. Ik vroeg haar of ze na al die tijd dan niet zelf had kunnen bedenken dat ik smoorverliefd op haar was. Ze zei dat ze dat nooit had bedacht. Ik vroeg haar waarom. Ze zei dat ze mij zo niet zag. Niet als iemand die verliefd op haar werd. Ik zei dat ik haar niet meer wilde zien. Ze zei dat het kamp pas halverwege was en dat dus niet kon. Ik zei dat ik na het kamp niks meer van haar wilde horen. Toen was het stil. Ze begon weer te huilen. Ik legde een arm op haar schouder en zei dat ze niet hoefde te huilen. Maar dat het beter was zo, omdat ik in films had gezien dat mensen dat in dit soort situaties zeiden: dat het beter was zo.

De volgende dag bij het ontbijt deed ze alsof ons gesprek niet had plaatsgevonden. Ze kwam vrolijk tegenover me zitten en vroeg me of ik het leuk vond om samen een workshop te volgen. Ze deed zo nonchalant dat ik me afvroeg of ik misschien gedroomd had dat ik haar de avond ervoor de waarheid had verteld. Maar het was geen droom geweest. Luna deed alsof het niet had plaatsgevonden omdat ze wilde dat het niet had plaatsgevonden. Ze dacht dat het wel weer zou overwaaien, dat het een rare bevlieging was van mij, een tijdelijke vergissing in een lang gekoesterde vriendschap.

Maar het was geen vergissing. En dat wist ze donders goed.

De laatste dag probeerde ze het nog eenmaal. Ze gooide een fles water over mijn hoofd leeg en begon om me heen te dartelen, maar toen ze wegrende, hopend dat ik haar achterna zou gaan, bleef ik stilstaan. Net zo lang tot ze verdwenen was. Nog voor we vertrokken kreeg ze verkering met Kay. Kay: mijn beste vriend op het zomerkamp, Kay die net als ik al jaren heimelijk naar Luna had verlangd. Kay met wie ik het zo vaak had gehad over hoe onbereikbaar Luna was.

Ik heb Luna nadien nooit meer gesproken. Tot ik haar laatst opeens zag op Amsterdam Centraal. Ze stond een paar perrons verderop en zag mij niet. Ze dronk een yoghurtdrankje en rookte een sigaret. Vroeger rookte ze nooit. Wat ik nu voelde was geen wrok, maar enkel dankbaarheid. Ik was toch ook zo'n vervelende, tot bloedens toe begripvolle puberjongen geweest. Ik deed BN'ers na, ik was onhandig, ik dweepte te veel, ik was geen feestnummer voor wilde zomers, dat begreep ik nu, jaren later zelf ook wel. Hoe kon ik het haar nu nog kwalijk nemen dat zij daar niet werkelijk op zat te wachten? Bovendien: ik besefte opeens dat ik dankzij haar zoveel had geleerd over hoe de liefde niet werkt. Dat had me later beslist geen windeieren gelegd. Nu kon ik toch gewoon weemoedig terugblikken op die naïeve jaren op het Grote Theater Zomerkamp, waarin er niks in de wereld was dat meer voor me betekende dan mijn stille verlangen naar die ongrijpbare Luna.

Dennis Storm

Peet

De laatste week zit mijn kop vol met de nieuwe wereld die ik ontdekt heb. En dan heb ik het niet over die klotekamer waarin jij ligt, die met muffe lucht gevulde witte klinische kamer in dit godvergeten ziekenhuis. Nee, daar heb ik het niet eens over.

De meeste mensen moeten het doen met een enkele wereld. Eén wereld waarin ze gelukkig zijn, en hoe groot of klein die ook mag zijn, het is er altijd maar één. Maar nu weet ik dat jij een tweede had, pa. De wereld waar ik met jou, met mamma, en met alle anderen leefde was voor jou niet de enige. Die andere wereld van jou heb ik vorige week ontdekt. Hij bestond uit een zooitje amuletten, munten, tanden van wilde dieren, foto's van de wereld en een doos vol dagboeken en brieven. Dit alles opgesloten in een oude kluis die al jaren op zolder bij mamma staat maar waar ze nooit de sleutel van heeft gehad. Ze heeft de kluis dus ook nooit geopend, tot vorige week, samen met mij. De sleutel vonden we in je versleten plunjezak.

Mamma pakte de doos, zette hem voorzichtig op tafel, alsof het een kostbare schat was, greep er een willekeurige brief uit, las de eerste zinnen en stopte met ademen. Roerloos stond ze naar de brief te staren. Lezen deed ze niet meer, haar ogen waren gestopt bij een enkel woord, waarna het haar te veel werd. *Isabelle.*

Tranen die daar al jaren op wachtten rolden over haar wangen als vluchtende gevangenen. Ze huilde niet omdat ze het te weten kwam, maar omdat ze het bevestigd kreeg.

Trouwens, het kan je wellicht geen fuck schelen omdat je al een week buiten bewustzijn bent, maar het is vandaag 1 mei, je verjaardag.

Negenenvijftig jaar, pa. Van harte.

*

01-06-1968

Vrijdagmiddag, drie uur. Voor de laatste keer hoorde ik die vervloekte schoolbel gaan. Ik was er voorgoed van verlost, en de leraren van mij. Ze konden voortaan hun linialen in de lade laten want dit schoffie zouden ze nooit meer zien. Schoffie, zo noemde meester De Vries mij altijd. Niet omdat ik een crimineel ben, zo vertelde hij mijn moeder, maar omdat ik eigenwijs ben, eigenwijs en onrustig. Twee eigenschappen die ze liever niet zien op school.

'Ingetogen maar voor de duvel niet bang.' Toen ik meester De Vries dat tegen mijn moeder hoorde zeggen glom ik van trots. Die ouwe van mij was niet bij het gesprek, maar hij had er om kunnen lachen, vermoed ik. Meester De Vries had gelijk, net zoals alle andere leraren. Ik gedroeg me niet naar behoren, heb me altijd ongemakkelijk gevoeld op school. Als een kanarie in een vissenkom memoriseerde ik feiten, formules en talen waarvan ik wist dat ik er de rest van mijn leven nooit meer iets mee zou doen.

's Middags hing ik op straat. Iedere verdomde middag weer. Wachtend op de volgende dag, wetend dat de dag waarop ik dit zou schrijven steeds dichterbij kwam. Vriendjes deden er stoer, vochten met elkaar, stichtten brandjes en grepen om beurten met hun hand onder de rok van Anita.

Ik ergerde me, observeerde, hield me rustig en dagdroomde over vandaag. De dag dat het allemaal zou beginnen, de dag dat de grenzen van mijn wereld zouden verdwijnen.

Om halfvier pakte ik de plunjezak van mijn pa en propte die vol met kleding en al het eten dat ik in huis kon vinden. Ik moest opschieten, de trein naar Antwerpen zou om kwart over vier vertrekken en het duurde minstens een halfuur om te voet bij het station te komen. Haastig schreef ik een briefje, legde het midden op de keukentafel en trok de deur achter me dicht.

'Ik ben op reis en laat van me horen zodra ik in het zuiden ben.
Over een maandje, denk ik.
Maar maak je vooral geen zorgen, het komt wel goed.
Peter.'

*

Je zou jezelf nu eens moeten zien liggen, pa, met de slangen die hier en daar uit je lichaam steken en de beademing waar je niet meer zonder kan. Je ziet eruit als een gevallen bergbeklimmer met je gebruinde, ongeschoren kop, je halflange grijze lokken en tanige oude lijf. Maar je bent niet gevallen tijdens het beklimmen van een berg, je kreeg een hartaanval terwijl je zat te zuipen met je broer. Vier maanden was je weer weg, en in plaats van mamma een kus te geven besloot je eerst de strandtent van je broer te vereren met een bezoek, om daar vervolgens de bar leeg te drinken en zo goed als dood met je kop op de houten vloer te belanden.

Weet je wel dat mamma hier maar twee keer is geweest? De eerste keer was nadat je broer haar belde toen hij in het ziekenhuis was aangekomen, en de tweede keer de ochtend erna om wat kleding langs te brengen. Ze kan het niet aan je hier zo te zien liggen, zegt ze. Maar als je het mij vraagt kan ze het niet aan dat jij weer vertrekt, en dit keer met de wetenschap dat je echt nooit meer terug gaat komen. Ze heeft de hoop opgegeven, ondanks het feit dat de doktoren je nog een kleine kans geven. Je bent een sterke vent, zeggen ze. Dat kunnen ze zien aan je fysiek, en ze hebben ongetwijfeld gelijk. Maar wat die slimme mannen en vrouwen in hun witte jassen niet zien is de slappe zak die je bent.

Ieder dagboek en iedere brief die ik in je kluis heb gevonden heb ik gelezen.

Dagboek voor dagboek. Brief voor brief.

Alle vraagtekens die mijn hoofd rijk was zijn vervangen door de antwoorden die ik vond in jouw schrijfsels. En als je mijn vader niet zou zijn dan had ik ongetwijfeld genoten van de verhalen die ik de afgelopen week heb gelezen.

*

08-06-1968

De trucker die mij een lift gaf was een beest van een vent. Ongewassen, ongeschoren, onafgebroken rokend en met handen als scheppen. Hij pikte me op in de buurt van Lille, waar ik twee dagen in armoe had doorgebracht. Het eten was op, de hotels vond ik zonde van het geld en de mensen die ik tegen het lijf liep ongeïnteresseerd. Ik had er wat gewandeld, 's nachts in parkjes en op pleinen rondgehangen, van zonsopgang tot een uur of twaalf in de middag geslapen en her en der wat te vreten gepikt.

Ik had best wat langer kunnen blijven – aan de stad lag het niet, waarschijnlijk was het gewoon pech – maar een lift van Luc, het beest, klonk aanlokkelijker.

Onderweg spraken Luc en ik weinig. Zijn Engels was zo goed als mijn Frans en buiten het gebrek aan kennis van andermans taal hadden we er beiden ook niet zo'n behoefte aan. Het was wel goed, die stilte. Blijkbaar hielden we er allebei van. Af en toe toonde hij een glimlach, volgens mij wilde hij daarmee zeggen dat hij het wel kon waarderen, zo'n ventje van zestien in zijn eentje op pad. Ondanks zijn voorkomen was ik niet bang voor Luc. Het was een prima vent. Hij was groot, sterk en zonder de kalmerende werking van zonlicht ongetwijfeld angstaanjagend, maar hij was geen man die jochies van zestien zomaar iets aan zou doen.

Luc reed in één stuk door naar een klein dorp in de buurt van Bourg-en-Bresse, vlak bij Genève. De avond was bijna gevallen, de laatste strepen zon verlichtten de Bourgondische boerenschuur waarnaast hij zijn truck parkeerde. We stapten uit en nadat ik mijn lijf eens goed had uitgerekt en om me heen had gekeken, gooide Luc mijn plunjezak naar me toe. Hij zei dat ik het vanaf daar weer zelf moest regelen, Luc ging zich bezatten in de boerenschuur (wat blijkbaar een restaurant was, Le poulet bleu, de blauwe kip, of iets in die geest) en was van plan de volgende ochtend vroeg zonder mij weer door te rijden.

Omdat er met het blote oog in de wijde omtrek niets bewoonbaars te zien was besloot ik ook maar naar de met vrachtwagens omringde blauwe kip te gaan.

Binnen was het donker. De ruimte tussen de deur en de bar was gevuld met grote, donkere houten tafels en stoelen waarvan de meeste bezet waren door grote mannen, truckers zoals Luc, die hier en daar gezelschap hadden van wanhopige vrouwen. Het waren alleenstaande, eenzame vrouwen uit omringende dorpen die hier hun laatste kans op gezelschap pakten, ook al zou dat van korte duur zijn. Ze begaven zich tussen mannen voor wie ze als pubermeisje nooit zouden hebben gekozen, maar met wie ze nu maar genoegen moesten nemen. Dit weet ik natuurlijk niet zeker, maar een beter verhaal kon ik niet bedenken bij dit schouwspel.

Achter de toog stond het lichtpuntje van de zaak: een meisje van een jaar of twintig. Ik ging op de kruk zitten die recht voor de tap stond en wachtte, ik wachtte net zo lang totdat ze klaar was met de drukte, net zo lang totdat het iets rustiger zou worden. Het eerste halfuur keek ze me niet aan, niet één keer, maar toen zette ze ineens een glas bier voor mijn neus. Ze glimlachte er voorzichtig bij en net zo voorzichtig glimlachte ik terug. Toen mijn glas leeg was schonk ze een nieuwe in en vroeg me wie ik was, hoe ik hier in godsnaam terecht was gekomen en wat ik hier deed. Ik vertelde haar alles, het hele verhaal, van de schoolbel die ik voor de allerlaatste keer gehoord had tot de lift van Luc die mij daar had gebracht. Ik vroeg haar naar haar naam.

'Emanuelle,' zei ze. 'En jij?'

'Peet,' zei ik, omdat ik Peter stom vind. 'Hoe oud ben jij?'

'Negentien,' zei ze. 'En jij?'

'Achttien,' loog ik.

De rest van de avond bleef ik naar de donkerharige kleine Emanuelle kijken. Haar haar was kort, steil, en ze droeg het in een staartje boven op haar hoofd dat een fractie na iedere beweging die ze maakte door de bocht vloog.

Ze schonk me bij wanneer mijn glas leeg was en ik beantwoordde keer op keer haar vragen. Toen ze de bar schoonmaakte vertelde ze dat ze zich afvroeg hoe het kwam dat ik deed wat zij altijd al wilde doen, terwijl zij op haar beurt al twee jaar bier stond te tappen voor die varkens.

‘Waar slaap je?’ vroeg ze. En ik antwoordde dat ik dat niet wist.

‘Je kan wel bij mij slapen,’ zei ze. ‘Maar dan moet je je wel gedragen.’

We reden over een onverlicht landweggetje naar de boerderij van haar ouders. Ik mocht niet rijden want ik kende de weg niet en het was een gevaarlijk weggetje, met al die gaten erin. Eenmaal thuis siste ze dat ik stil moest zijn, pakte mijn hand en leidde me naar boven, naar haar kamer. Ze vroeg me wanneer ik voor het laatst een douche had gezien en ik zei dat dat wel een paar dagen terug was.

Stil liep ze de kamer uit en even later kwam ze terug met een natte handdoek. Ze trok al mijn kleren uit en zei dat ik op bed moest gaan liggen. Daarna waste ze mijn lichaam met de handdoek en keek toe hoe al het bloed in mijn lijf naar een en dezelfde plek vloeide. Emanuelle zei dat ze zich machtig voelde, ze wilde zich in mijn nog maar net begonnen avontuur schrijven als de vrouw die mij had ontmaagd. Ze ging staan, doofde het licht, deed de gordijnen open, ontdeed zich van haar zomerjurk en liet het gedimde licht van de nacht op haar naakte lijf vallen. Ze pakte mijn hand en liet me voelen hoe nat ze was. Daarna ging ze op me zitten, ze legde haar ene hand op mijn borstkas en drukte de andere stevig tegen mijn mond.

De volgende ochtend wachtten we tot haar ouders de deur uit waren. Ik nam een douche en vroeg haar of ik ergens vers brood kon halen. ‘Aan het einde van het weggetje links, en dan een minuut of drie rechtdoor rijden,’ zei ze. ‘Dan zie je het vanzelf.’

Ik stapte op haar brommer en reed naar het einde van het weggetje, daar ging ik naar rechts en bleef rechtdoor rijden tot de benzine op was.

*

Je bent in jezelf gaan geloven, pa. Een romanticus pur sang die zelfs zijn eigen dagboeken romantiseert. Ben ik trouwens de enige die over jou als mijn vader spreekt? Het zou mij en mijn moeder niet verbazen als er verspreid over de wereld nog een stuk of zes, zeven, of misschien wel tien rondlopen. In mijn omgeving ben ik in ieder geval wel de enige die, wanneer hij over jou praat, het over de 'pappa' heeft. Voor de rest van mijn wereld, en die van mijn moeder, ben je Peet.

Toen ik klein was sprak mamma nog over jou als pappa, totdat ik in de zomer van 1995 tien jaar oud werd en op mijn verjaardag jankend vroeg waar jij was. De hele tuin zat vol vrienden en familie van mamma, en ook van jou, maar iedereen zweeg. Niemand wist waar je was maar dat kon natuurlijk niet aan een tienjarig joch verteld worden en dus werd de zaak afgedaan met het eeuwige 'Pappa komt snel weer thuis'.

De volgende ochtend zal ik nooit meer vergeten. Ik trof mamma in stilte aan in de keuken. Ze zat met haar kop koffie aan de hardhouten tafel die jij ooit een keer vanuit Jakarta met een schip naar je nietsvermoedende vrouw stuurde en staarde naar het bewerkte blad. Toen ik tegenover haar ging zitten schrok ze wakker uit haar dagdroom, waarna ik haar nogmaals de vraag stelde die de avond ervoor een kleine twintig man had doen zwijgen.

'Mam, wanneer komt pappa terug?'

Ze zweeg even, waarna ze op breekbare toon niet over pappa, maar over Peet sprak. 'Peet komt ooit wel weer terug, jongen, als je maar geduld hebt.'

*

15-07-1995

Rond de klok van vier schrik ik wakker, midden in de nacht. De slaap kan ik niet meer terugvinden, waardoor ik maar blijf malen en malen. De geluiden van buiten helpen ook niet mee, de ontwakende straten van Parijs klinken schel en hard. Druk discussiërende ondernemers die hun deuren openen en de roestige terrasstoelen en tafels zonder enige terughoudendheid op de kinderkopjes kwakken. Hoge hakken van haastige vrouwen die het ritme duiden als een metronoom en schreeuwende straatratten op hun weg terug naar de banlieues. Ik begin ze te herkennen, de geluiden, het is ook niet de eerste keer dat ik wakker lig.

Het gebeurt wel vaker de laatste tijd. Dit is al de derde nacht op rij. Isabelle is een schat, een schitterende jonge vrouw die de adrenaline door mijn lijf doet gieren. Ze ligt nog te slapen, hier in haar huis, gestolen uit een romantische komedie die zich in Parijs afspeelt maar van Hollywoodse makelij is. Ieder detail aanwezig. Van de lege fles wijn op de eeuwenoude houten vloer tot en met het hagelwitte laken dat haar onderlichaam aan de fantasie overlaat.

Maar toch is er dat gemis, en het wordt met de dag sterker.

Er zijn redenen om te blijven, maar ik ben tegelijkertijd haar chauvinistische temperament beu. Dat gezeik over dat ik binnen een week die theatrale taal moet beheersen. Dat gaat me toch niet lukken. En al helemaal niet met dat zeikerige accentje erbij.

Ik ben nu bij Isabelle, maar de vraag is of ik blijf.

Ik weet het niet.

Als je alle films moet geloven is dit het perfecte leven. Warme stokbroden, oude kaas, flessen wijn en een Franse vrouw met aandoenlijk accent die naakt koffie voor je zet terwijl haar donkerbruine lokken de kuiltjes in haar onderrug kietelen.

Nee, ik blijf niet.

De eeuwige zon, het lange tafelen, de Franse aanstellerij en die eindeloze nachten vol dromerige kutmuziek zijn gewoon niets voor mij. De schaarse zomeravonden die mijn thuis rijk is roepen, en er is niets wat me gaat tegenhouden. Hoe meer zinnen ik schrijf, des te duidelijker ik mezelf erin terugzie.

Een blinde man, zoekend naar iets wat hij allang bezit.

Het is tijd om te gaan.

*

Op mijn tiende verjaardag, toen ik jou meer dan alles miste, lag jij een Franse snol te neuken.

Chic, pa. Heel chic.

Het siert mensen die hun eigen pad bewandelen daar waar de massa zich door wetten, tradities en meningen laat leiden. Daarom zal jouw afscheid ongetwijfeld druk bezocht worden. Het zal een afscheid zijn waar men met breed lachende nostalgie op het leven van de avonturier zal terugkijken. Maar toen mijn moeder jou nodig had om mij naar behoren op te voeden had ik liever gezien dat je die avonturier in je vaarwel zou zeggen, of in ieder geval zou temperen. Maar nee, dat deed je niet.

'Het leven is te kort om je vast te leggen,' zei je met droge ogen tegen mamma.

Rot toch op met die eeuwige clichés van je.

'Slapen doe ik wel als ik dood ben.' Nog zo'n uitspraak

van je. Slapen is gezond, klootzak. Het is niet voor niets dat je de zestig waarschijnlijk niet gaat halen.

Peet komt ooit wel weer terug, jongen, als je maar geduld hebt.

Mamma had gelijk. Thuiskomen deed je altijd.

Want daar waar mijn moeder woonde en ik opgroeide was jij thuis. Dat wist iedereen, de enigen die erover twijfelden waren wij. Mijn moeder was de vrouw van je dromen maar keer op keer sloeg de twijfel toe en rende je weg. De ene keer hield je het een jaar vol, de andere keer een paar maanden. En de ene keer kwam je na een paar maanden al weer thuis, en de andere keer na een jaar.

Ik geloof niet dat je op zoek was naar andere vrouwen. Je was op zoek naar het vaste onderwerp van je verhalen: avontuur. En dat je daarbij vrouwen tegenkwam die je met je ruggengraat zo dik als een cocktailprikker niet kon weerstaan was een leuke bijkomstigheid.

Je verdween altijd met lege ogen, zei mamma, waarna je terugkwam met sprankelende. Die laatste waren de ogen waar ze verliefd op was geworden en die ze keer op keer weer opnieuw haar vertouwen gaf, ondanks het feit dat ze steevast werden gevolgd door de lege, die haar alleen achterlieten.

*

10-01-1998

Het is al weer twaalf jaar geleden dat ik hier geweest ben. Buenos Aires ziet er nog hetzelfde uit, voelt ook hetzelfde. Het is een gemoedelijke wereldstad die zo nu en dan uit haar voegen barst van geluk. Op nationale feestdagen bijvoorbeeld, of wanneer het nationale voetbalelftal een prijs in de wacht sleept. In '86, toen ik hier voor het laatst was, wonnen de Argentijnen het wereldkampioenschap voetbal. Het feest dat volgde duurde in mijn herinnering geen lullige avond maar een hele week. De Argentijnen begrijpen het, Buenos Aires is een wereldstad waar men op doordeweekse avonden buiten op de straten en terrassen wijn zit te drinken en met z'n twintigen urenlang aan een tafel zit te eten. Leven komt eerst, gevolgd door nog wat belangrijke zaken die in het verlengde liggen. Werken komt later.

Ik ben gister aangekomen maar het gevoel is nu al terug. Ik leef weer. Er gebeurt weer wat. Ik hou zielsveel van Yvon en mijn zoon, maar ik moet zo nu en dan weg. Volgens mij worden zij daar ook beter van. Een chagrijnige man die zonder enige levenslust zijn dagen slijt wil niemand in huis hebben. Dit is beter. Zo is het goed. Af en toe vraag ik me wel eens af of ik zonder ze zou kunnen, en ik ben bang dat het antwoord nee is. Mijn hart schreeuwt dat ik weg moet en vervolgens vertrek ik, met de illusie dat ik jaren weg zal blijven, totdat het me weer vertelt dat ik terug naar huis moet. Het schreeuwt opnieuw, maar op zo'n moment schreeuwt het om Yvon. Alsof ik door haar achter te laten opnieuw moet beseffen dat ik bij haar thuis ben.

Yvon heeft dat niet. Talloze keren heb ik het haar geprobeerd uit te leggen maar ze wil er niets van weten.

Kinderen heb ik nooit gewild maar ik besef wel degelijk dat Johan de reden is dat Yvon de deur voor mij blijft openen. Zonder dat slimme ventje had ze allang een keer haar koffers gepakt, en in tegenstelling tot mij zou zij nooit meer terugkomen.

Met Yvon wil ik oud worden, ik hoop dat ze dat weet. Met haar wil ik weer doen wat we vroeger deden, voordat Johan geboren werd, thuis zijn waar we terechtkomen. Zon, stilte en wijn. Meer hebben we niet nodig.

*

Ik ben benieuwd hoe je nu over de dood nadenkt, pa, nu je voor pampus op het randje ligt. Want behalve een verstokte romanticus ben je zo pessimistisch als de pest. Ik kan mij een avond herinneren waarop je vertelde dat je niet in het hiernamaals gelooft.

'Onzin, je gaat gewoon dood en daarmee basta.' Je zei het niet tegen mij maar in een discussie met vrienden, of zo. Volgens mij was het een van de weinige verjaardagen die je thuis vierde. Hoe dan ook, het ging over een oude kennis van jou en je broer, die al een tijdje dood was, waarna iemand 'Niets dan goeds over de doden' zei.

'Niets dan goeds over de doden,' herhaalde je met een strakke blik. 'Daar veeg ik mijn reet mee af. Je gaat toch ook niet zeggen dat Adolf Hitler zo lekker gehaktballen kon draaien? Dansen op zijn graf is wat we moeten doen.'

Het ziet er naar uit dat je doodgaat, pa. De dokters hebben besloten je morgenochtend van de beademing te halen en, om het kort te houden, simpelweg te kijken waar het schip strandt. Het is een keuze van mamma geweest, ik mocht erbij zijn maar wilde het niet. Een week geleden zou ik moord en brand hebben geschreeuwd om je aan de beademing te laten, hoe klein de kans op overleving ook zou zijn. Maar nadat ik alles gelezen heb weet ik dat alleen mamma deze keuze mag maken. De doktoren vertelden dat je iedere dag zwakker wordt, de slangen in je lijf en de beademing maken langzaamaan een plantje van je. Hoe sterker je lijf, des te groter de kans dat je hart het werk van de machines weer overneemt. Maar goed, volgens de experts is de kans dat je hart morgen weer uit zichzelf gaat tikken een procent of dertig.

Verdomd weinig, voor een pessimist.

*

14-01-1998

Van het vaderschap probeer ik het beste te maken. Maandenlang weggaan is geen hoofdstuk dat je tegenkomt in boeken over de opvoeding van een kind maar het werkt voor mij. Ik wil dat Johan een gelukkige vader heeft. Ik wil dat hij weet wat belangrijk is in het leven. Of ik een goed voorbeeld ben is een tweede, maar het belangrijkste wat je een kind kan leren is dat je nooit aan gisteren, noch aan morgen moet denken. Dat is ook hetgeen wat ik Johan iedere keer vertel, vlak voordat ik vertrek. Er is enkel vandaag. Gisteren komt nooit meer terug en of de morgen komt weet je morgen pas. Plannen en dromen kunnen nooit allemaal uitkomen, de kans dat je teleurgesteld wordt is groter dan de kans dat je krijgt wat je wilt.

Ik weet nog goed dat ik na mijn allereerste reis weer thuiskwam. Ik was gekomen waar ik naartoe wilde: het zuiden van Europa. In mijn eentje had ik het geflikt, nog maar net zestien jaar oud. Vanuit Spanje belde ik naar huis om te vertellen dat ik met de trein in één stuk naar huis zou komen, met geld dat ik voor de terugweg had bewaard. Mijn moeder huilde van geluk en toen ik thuiskwam knuffelde ze me zo hard dat mijn ribben bijna braken. Ze kookte voor me, vertelde dat ze boos was geweest maar ergens ook trots en vooral blij dat ik nu weer terug was. Mijn vader kwam later die avond thuis, hij was na zijn werk in de fabriek eerst naar de kroeg gegaan en stonk naar drank. Wat dat betreft was er niets veranderd in de tijd dat ik weg was. Ook zijn chagrijnige blik was nog steeds aanwezig. Hij zei niets. Keek me alleen maar met bloeddoorlopen ogen aan, waarna hij me een genadeloos pak slaag gaf. Met zijn linkerhand greep hij mijn haar en met de rechter balde hij zijn vuist. Mijn moeder krijste dat hij moest stoppen, en na een tijdje deed hij dat ook. Hij had de vloer met me aangeveegd, gooide me daarna met mijn bloedende gezicht en beurse ribbenkast de deur uit en zei dat ik het beste maar weg kon blijven.

*

Weet dat ik zal dansen op je graf, pa. Om meerdere redenen.

Je drinkt het leven met liters tegelijk, bezoekt de wereld in al haar uitersten, spreekt met de wijsheid van een man die 's avonds niet met een zak chips televisie zit te kijken en bent geliefd.

Ja, pa, je bent een goede vader wanneer je er bent. Je neemt cadeaus uit alle uithoeken van de wereld mee en vertelt me verhalen die geen leraar mij ooit had kunnen vertellen.

Maar godverdomme, wat ben je er weinig.

En godverdomme, ik hoop dat je beseft dat je iedere keer wanneer je weggaat het hart van mijn moeder breekt. Dat ze iedere keer wanneer je de deur achter je dichttrekt jankend van ellende haar dagen slijt, tot je weer op de deur klopt.

En godverdomme, pa. Als ik iets van je geleerd heb dan is het wel dat er een moment in je leven komt waarop je rekening houdt met morgen.

Wanneer ze over een uur of twaalf dat kapje van je mond halen zit ik weer naast je. Dat beloof ik je. En ik hoop dat dat hart van je weer gaat tikken, dat hoop ik echt, omdat de zomer voor de deur staat en er geen vrouw vergevensgezinder is dan mijn moeder.

Zij komt trouwens niet, morgenochtend. Mamma blijft thuis. Wel zei ze dat ik iets tegen je moet zeggen. Ze wil dat je weet dat als je besluit thuis te komen, het voorgoed moet zijn. Anders kun je beter weggaan.

Je hebt nog één nachtje om er eens goed over na te denken, pa.

Tot morgen, hoop ik.

En als je besluit te gaan, wees dan een beetje lief voor de engeltjes.

aarde schudt. Ik wil met een woede die in me woedt. De zon is overal, vult de kieren van je geest. Ik wil voelen, denk je. Alles. Ik ben zo rijp dat ik barst. Vrij ben ik. Ik vlieg langs de stomme mensen, met hun blikken op de dood, in hun blikken op wielen. Met hun verbeten haast. Opgesloten zitten ze in hun auto's en levens en ik zweef erlangs. Je lacht ze uit in gedachten, je schaamlippen tegen het zadel. Ik doe wat ik wil, mensen. Intens gelukkig ben je, in de warme lucht.

Niet vaak voelde je je zo fijn in de zon. Meestal ben je onzeker en wil je je verbergen. De zon lijkt een schijnwerper die je doorzichtig maakt. Iedereen kan je tranen zien zitten achter je ogen, je angst aanwijzen op je gezicht. Betrapt, roepen ze dan. Betrapt op ongeluk, terwijl ze lachen en het glas naar je heffen. Als op die foto's, die zonnefoto's. Zo gelukkig zijn ze op zo'n foto. Ze zijn de luide lach in de lucht en jij bent er gloeiend bij, want niet zomerblij. Wat kunnen ze hard. Soms hoor je je eigen gedachten niet meer. Harder, hardst. Kijk ons, schreeuwen ze. Uitroeptekens zijn het, bij de picknick, in het park aan het strand, rosé in de hand. In elkaars armen, schaamteloos. Zoenend, likkend, onder elkaars rokje of boxer graaiend. Straks gaan de jongens de meisjes in het water gooien en probeer jij weg te kruipen in de schaduw. De zon is meedogenloos. Het is een vergrootglas, een volgspot die je wilt ontduiken. Het is het veel te felle licht na sluitingstijd. Een microscoop waaronder de fotomensen je leggen en jij ligt in een petrischaaltje te spartelen. Wat doe jij daar? Probeer jij je te verstoppen? Hierkomen, amoebe. Je moet spelen met de anderen en kirren van plezier. Waarom lach je niet? Waarom kom je het water niet in? Doe mee. Laat je zien. Laat je lichaam zien. Laat je aanraken. We komen je halen. Je gaat erin, net als iedereen. Je gaat kopje onder. Je gaat proestend bovenkomen en het leuk vinden. Zo hard lachen dat je wangen scheuren. En wij ook, we gieren het uit. Onze tanden bloot, we bijten de zomerlucht stuk van de lol. En dan duwen we je nog eens en nog eens in het water, dat wit is van je gespartel. We duwen tot je bijna verdrinkt. Leuk voor de foto. Stik eens naar het vogeltje.

Zonder dat je het in de gaten had ben je aan de rand van het Naarderbos gekomen, het natuurgebied waar je naar op weg was. Er zijn hier veel kraaien. Groot en zwart zitten ze langs de weg alsof ze opeens zijn verschenen. Je had ze helemaal niet gezien. Op de vogels na is alles stil en je voelt je een beetje benauwd. Ja hoor eens, zeg je tegen jezelf. Er is geen reden tot angst. Je zou een stukje gaan fietsen door de natuur. Dat is wat mensen doen, dat is wat vrije, volwassen, onafhankelijke mensen doen, dus jij verdomme ook. Even stop je. Er is hier niemand. In de verte hoor je een auto aankomen. Je fietst snel door. Waar niemand is, is één iemand te veel. Zoveel kraaien. Ze wachten af, denk je. Om je heen bomen en struiken. De stomme snelwegmensen waren fijner. Ze waren er tenminste. Nu is er vacuüm en vogelgeluid. Bedompte lucht en zompig water. Iedereen zegt dat vogels zingen, maar dat doen ze helemaal niet. Ze fluiten schril tot je oren piepen.

Ineens voel je je onbeschermd. In dat gekke, korte pakje met die jolige fruit-bh. Struiken zwiepen langs je benen en insecten vliegen in je ogen en mondhoeken. Snel doorfietsen, gewoon die kutnatuur door, zodat je kunt zeggen dat je een mooie fietstocht hebt gemaakt. Ook ik weet hoe ik me moet gedragen in de zomer. Kijk, hier is mijn foto, ik maak een mooie tocht door het Naarderbos. Ik ben luchtig gekleed en voel me heerlijk licht. Ik weet wat genieten is. Ik heb die shit onder de knie.

Dan zie je iets. Er staat een man, midden in de bosjes. Hij

staat daar en doet niets. Stil met zijn gezicht van je af. Plast hij? Nee, hij lijkt te wachten. Als je dichterbij komt draait hij zich om. Hij heeft een snor. Hij kijkt je aan en zegt niets. Je durft er niet langs, maar gaat toch. Heel snel. Vluchtig mompel je iets wat op gedag lijkt. Wat zeg je in godsnaam tegen een man die in de bosjes staat? Je fietst verder en voelt hem nog in je rug. Hij trekt messen en geweren, zwaait zijn lange armen in je richting en spreidt twee enorme handen. Je durft niet om te kijken. Een onbestemd gevoel trekt door je heen. Alsof je op een hoge brug fietst. Hoogte op de grond. De lucht lijkt dikker geworden. De insecten hebben ondoordringbare wolken gevormd. Je lichaam lijkt zich te spannen voor gevaar, maar niet goed te weten van welke kant het komt.

Ik wil naar huis, denk je, maar ik weet de weg niet. Je stopt, durft niet verder. De dag is weer die helverlichte doos geworden waar je uit wilt. Die zonnefoto waar je niet voor wilt poseren. In het water moet je, kopje onder. Lekker spetteren, terwijl de vogels kwetteren. Waarheen? Niet terug langs die man. Niet blijven staan ook. Eruit moet je, maar als je doorfietst kom je helemaal in niemandsland. Je wilt weer terug naar de auto's, weg uit deze klamme leegte die niet leeg is. Dat hele Naarderbos kunnen ze in hun reet steken. Dan maar geen vrouw van de wereld. Wegwezen hier. Tief op met die hele zomerdag, denk je. Rol hem op en steek hem waar de zon eindelijk dooft.

Zonder dat je echt weet wat je doet begin je terug te fietsen. Eerst langzaam, dan steeds haastiger. Je schiet langs de man, die er nog net zo staat. Hij trekt zijn wenkbrauwen op. Meer in jouw gedachten dan in het echt, want je kijkt niet. Nog nooit zag je zoiets engs als een man met een snor die ergens stil staat. Geen hond, geen picknickmand, geen zwembroek, geen reden. Weg van die man, in godsnaam.

Een klein paadje nog, verderop een parkeerplaats en dan ben je bijna terug bij de snelweg. Je ziet een auto staan, een bruine verlaten auto. Alles heeft zoveel betekenis hier. Ineens is daar nog een man. Hij komt aanlopen op het pad en stopt voor je. Je kunt er niet langs. Hallo, zegt hij. Hij legt zijn handen op je stuur. Een middelbare man, zonnebril, een scheve lach, gelig blond haar met grijs erdoor. Mooi weer, hè? Je knikt. Je trekt een vriendelijke dank-voor-dit-superleuke-zomergesprek-en-nu-ga-ik-weer-verder-glimlach, maar voelt je lippen trillen. Het is niet goed.

Ik zag je fietsen, zegt hij. Je zag er zo geil uit. Hij is me gevolgd, denk je. Het was die auto die ik hoorde. Ben je geil, vraagt hij. Ineens lijkt alles zo klein en nauw, alsof je door het verkeerde eind van een verrekijker staart. De dag is in elkaar geklapt. Nee, zeg je. Je bent niet geil. Daar sta je dan met je presenteerblaadje, je schaamlippen tegen het zadel, je rijpe bolletjes. Hij kijkt ernaar. Door zijn zonnebril heen zie je hem turen. Het duurt lang. Je voelt je adem wapperen. Je bent onder water, op de bodem van het zwembad, de lucht is het oppervlak. Je moet naar boven, onder zijn blik vandaan. Hij lacht nog altijd scheef en ontbloot wat tanden. Ben je nog maagd? Je aarzelt en geeft dan antwoord. Opeens laat hij met een hand je stuur los en graait naar je borsten. Het is alsof zijn handen grauw zijn van modder. Alsof hij zwarte vegen maakt in de lucht. Je deinst naar achteren. De snor, denk je ineens. De man met snor moet vlakbij zijn. Mijnheer, roep je. Je fiets valt en schaaft langs je been. De zonnebril schiet ervandoor. Alsof er een hele politiemacht achter hem aan zit rent hij naar zijn auto. Daar is de snorreman. Hij kijkt bezorgd. Alles goed, vraagt hij. Je ziet de bruine auto wegscheuren, overdreven met stofwolken, als in een slechte actiefilm. Wat gebeurde er, vraagt de snor vriendelijk. Je staat tegenover hem. Je fiets op de grond. Als je bukt om hem te pakken, wil hij helpen. Nee, denk je. Hij moet uit de buurt blijven. Onhandig raap je je fiets op en je probeert erop te klimmen. Je weet dat hij aardig doet, maar wil alleen maar weg. Alles is goed, zeg je. Bedankt. Wacht, roept de snor. Kan ik iets doen? Kan ik helpen? Maar je bent al weg. Weg, weg, weg van hier. Van mannen in natuurgebieden. Je fietst als een razende. Had je maar wat aan. Het lijkt alsof je naakt op die fiets zit, tussen de striemende takken. Weg uit dit kutbos. Weg uit de dag, uit de zomer. In bed, onder de dekens in het donker, onder de grond.

Je probeert niet om je heen te kijken. Misschien staan er wel overal mannen. Misschien staat de natuur vol met wachtende mannen. Als een soort reigers. Je fietst langs de plassen, de kraaien, hobbelt over kuilen. Ergens denk je dat de snormijnheer en de zonnebril er nog zijn. Achter je aan rennen, aan je bagagedrager trekken. Je mag absoluut niet stoppen.

Als je terug in de bewoonde wereld komt, kun je wat rustiger ademen, maar het gevoel van bedreiging verdwijnt niet echt. De zonnebrilman lijkt overal te zijn. Dagen en weken zal dit gevoel nog blijven. Je zult hem op straat zien. Je zult hem in iedere zonnebril vrezen. Overal zul je zijn bruine auto zien rijden. Hij heeft vlekken in je gedachten achtergelaten. Ben je geil, zullen de mannen op straat je vragen. Ben je nog maagd, zal de bakker willen weten, de treinconducteur. Je gaf antwoord. Thuis staat je vader in de keuken. Je wilt hem zeggen wat er gebeurd is, maar doet het niet. Er is niets gebeurd, toch? Alleen dat iemand vroeg of je nog maagd was en jij nee zei.

James Worthy

Max Kroon

Sommige mannen hebben alles. Max Kroon is zo'n man. De wereld ligt aan zijn voeten, maar de wereld is niet genoeg. Zijn voeten willen meer, zijn voeten willen van het heelal een deurmat maken. Het gras is immers altijd groener in een ander sterrenstelsel. Onze wereld ligt al vlot aan de voeten van een man, de wereld is een onderdanig schepsel dat aan de voeten van iedereen die ooit nipt boven de middelmaat is uitgestegen ligt. Max is de man der mannen, het alfamannetje dat wild op zijn borstkas beukt terwijl de rest van mannelijk Nederland zijn wenkbrauwen epileert en hydraterende crèmepjes op zijn gezicht smeert. Max is dat wat vrouwen wensen en dat wat mannen willen zijn, hij is de droom van beide seksen.

Max zit aan de bar van een duur visrestaurant. Hij flirt met de vrouw achter de bar, terwijl hij in een sms zegt dat hij vanavond moet overwerken. De barvrouw heeft een kop als een kraakpand, maar alle vrouwen zijn renoveerbaar. Ze complimenteert hem met zijn krijtstreeppak en Max vertelt de vrouw waarom hij altijd krijtstreep draagt. 'Ik heb mijn school nooit afgemaakt, deze jongen hier is een schoolverlater en als je in alle haast een school verlaat, is de kans groot dat je langs een schoolbord loopt. Vandaar de krijtstreep. Het herinnert mij aan wie ik ben. Wie ik was. Ik ben de veertienjarige ik erg dankbaar voor het verlaten van school, dankzij zijn moed ben ik nu een succes. Ik sta bij hem in het krijt.' De barvrouw druppelt van verlangen. Een ingeklapte natgeregende paraplu. De arme vrouw valt in katzwijm voor Kroon, ondanks het feit dat ze waarschijnlijk niet eens weet wat katzwijm is. Max haalt de hengel nog voordat ze hapt uit het water. Hij is hier voor andere zaken, hij moet gaan onderzoeken of de trouwring van de echtgenote van een nieuwe cliënt losgeweekt kan worden. Anneloes Belifante, Loes voor intimi, mevrouw Belifante voor een wildvreemde man die indruk op haar poogt te maken.

Mevrouw Belifante zit met twee vriendinnen aan een ronde tafel. Ze ziet eruit als een dwarsfluitlerares, een strenge, maar de onhandige manier waarop ze oesterschelpen leegzuigt doet Max vermoeden dat ze nog nooit in het bespelen van een blaasinstrument heeft gedoceerd. Ondertussen speelt de blonde vriendin met haar oneindig lange krullen. Vrouwen die met het eigen haar spelen, Kroon kan er uren naar kijken. Hoe ze die lokken om hun vingers winden, alsof ze een suikerspin draaien. De derde vrouw, een ietwat volslanke brunette die haar blubberige bovenlijf onder een tiental kledinglagen probeert te verstoppen, doet Max niets. De vrouw eet soep, hij hoort haar de soep verorberen. Afstotelijk. Ze slurpt de vloeibare maaltijd haar kwabben in en klinkt als de speekselafzuiger van een tandarts. Niemand in het restaurant durft er iets van te zeggen en daar is Max erg blij mee, want dan kan hij het doen. Dames zijn immers stapelgek op botteriken, mannen die de waarheid durven uit te spreken; alle vrouwen snakken naar een stropdas dragende holbewoner. Een eloquente bruut. Iemand die ze een veeg uit de pan geeft, doet alsof-ie even op zijn dure horloge kijkt en dan vraagt waar het avondeten blijft. Ook als het pas 14.30 uur is.

'Sorry dat ik dit theekransje zo pardoes binnenval, maar een van jullie is soep aan het eten. Op oorverdovende wijze. Vat dit vooral niet persoonlijk op, maar Oprah, je eet als een fucking traumahelikopter. Vandaar deze ietwat botte confrontatie. Ik ben van mening dat vrouwen geen geluiden mogen maken tijdens het eten. Noem me old fashioned, maar een vrouw mag alleen maar slurpen en smakken als ze het kloppende vlaggenschip van een man in haar waffel heeft. Dus of je stopt met het eten van die voortreffelijk ruikende Franse uiensoep, of ik rits mijn gulp open en geef je iets om van te slurpen. Hier en nu. Je vriendinnen mogen kijken.'

Max loopt naakt door een sfeervol verlichte hotelkamer, nippend van een stroperige muskaatwijn en in zijn andere hand brandt een mentholsigaret. 'U mag hier niet roken hoor,' zegt Anneloes, terwijl ze opstaat en snel een laken om haar lichaam heen wikkelt. 'U? Zeg maar gewoon Max. Er is niets mis met beleefde aanspreekvormen, maar beleefdheid hoort niet thuis in de slaapkamer. Ik zie een slaapvertrek als een arena, jij en ik zijn gladiatoren en we strijden allebei voor die ene duim-omhoog.' 'Max, je intrigeert me en echt niet alleen vanwege je Chippendale-achtige lichaamsbouw en dat air van onaantastbaarheid dat continu om je heen hangt, maar vooral ook om de getroebleerde blik die je hele personage in twijfel trekt. Je ogen laten Max wankelen. Op het ene moment ben je de alleskunner, een bink van mythologische proporties, en dan opeens kijk je uit je ogen als een veertienjarig kereltje dat zijn moeder kwijt is in een warenhuis.'

Kroon schenkt de fles wijn leeg in een glas dat nog niet leeg was en loopt naar de dichtstbijzijnde spiegel. 'Weet je wat het is, Loes? Ik heb alles, maar toch ben ik hier met jou. Het is twee weken voor Kerstmis, we hebben allebei een gezin, maar toch heb ik net met een lauw washandje jouw sappen van mijn lul gewreven. Niks persoonlijks trouwens, weet ik veel... misschien ben jij wel de volgende alles. De opvolger van haar die ik ooit als onmisbaar bestempelde. Mijn probleem is dat ik met iedereen kan praten, behalve met de mensen van wie ik houd. Ik ben een stuk wrakhout in een oceaan vol drenkelingen, ik help mensen hun knopen door te hakken, maar ik ben zelf de allergrootste drenkeling.' 'Je bent lief, Max, een aantal jaren geleden had ik met alle liefde de nacht naast je weggeslapen, maar ik moet naar huis. Thuis.' Overhaast trekt de prooi haar kleren aan, linkersok, rechtersok, al het andere, en dan loopt ze de deur uit. Een handkus blazend.

Max doet de tv aan, ploft neer op het kingsize bed en graait zonder te kijken onder zijn hoofdkussen. Als-ie zijn mobieltje heeft gevonden belt hij de cliënt op. Een man met een schorre stem neemt op, in de verte klinkt klassieke muziek. Richard Wagner. 'Uw vrouw is schoon, ze hapte niet. Bijna alle vrouwen happen, koester mevrouw Belifante. Knijp de handjes dicht, maar voordat u deze dichtknijpt wil ik dat u eerst uw knip trekt. Internetbankieren. 20.000 plus alle onkosten. Ik kom uit op 21.500. Als het over twee dagen niet op mijn rekening staat; ik weet waar uw dochter woont en ik ben ongetwijfeld haar type. Rechtenstudentes zijn dol op rijpe mannen. Een hele fijne avond nog.'

De hond blaft als Max de voordeur van zijn huis opent. Hij heeft sinds zijn geboorte al een hekel aan honden, het zijn mislukte katten, luidruchtig en oliedom, maar tijdens het uitlaten kan hij zijn dubbelleven leiden. Max geeft Paco een aai over zijn klitterige onderrug en legt zijn sleutels op de sleutelbos van zijn verloofde. Max is van het stapelen. Tandenborstels, flesjes parfum, sleutelbossen, samen met iemand zijn is niet genoeg; de spullen van geliefden moeten ook samen zijn. Waar hij al die mierzoete theorieën vandaan haalt weet hij niet, maar van zijn vader heeft hij het in ieder geval niet. Vader Kroon was een dromer, hij wilde alles doen, maar uiteindelijk moest hij genoegen nemen met fietsenmaker. Zijn handen waren almaar zwart, de wollen truien die hij droeg roken naar bandenplak en hij keek steevast alsof zijn leven lek was. Papa was een hopeloze mopperaar, maar er stond altijd wel een fiets in de schuur.

'Wat ben je laat, Max. Heb je gegeten? Er staat een bord goulash in de magnetron.' 'Ik ben content, de jongens van de zaak hadden chinees gehaald, maar toch lief van je, pop. Ik neem het morgen wel mee naar werk, goulash is een prima lunch. Hoe was jouw dag?' 'Langer dan gehoopt.' 'Join the club.' 'Ik ruik dat je hebt gedronken.' 'Je weet hoe dat gaat, waar eten is, is drank. En je kent me toch? Ik drink nooit om te vergeten en als ik al drink om te vergeten, dan is dat omdat ik nieuwe herinneringen met je wil maken.' 'Bewaar dat maar voor je secretaresse, ik heb knuffels nodig. Kracht, en kan het drankorgel misschien een opbeurend liedje voor dit dametje spelen?'

Het is net na tien uur in de ochtend. Max ligt languit op de bank van psychiater Spillman. Hij is zenuwachtig, een drietal druppels zweet verzamelt zich in zijn wenkbrauwen en er hangen vlezige zwarte wallen onder zijn bruine ogen; de ogen die zijn verloofde vanochtend treffend met sloopkogels vergeleek. 'Lynn ontwaakt al sinds het begin van onze relatie met een ochtendhumeur, maar tegenwoordig verspreidt ze haar chagrijnigheid nauwkeurig over alle mogelijke dagdelen uit. In het begin was alles goed. Zoals bij iedereen, want in het begin wil je nog dat alles goed is. Je wilt zo graag dat een relatie bovengemiddeld goed is dat je jezelf voor gaat liegen, maar na drie jaar zijn de leugens gewoonweg op. Haar aardappelpuree is niet smeuïg maar klonterig en de dochter van haar broer lijkt niet op een zorgvuldig gekleid engeltje maar op een goedkope microwave-frikandel. Mijn leugens zijn op en ik kan en wil mijn werk niet meer voor haar verborgen houden. Morgen ga ik de waarheid zeggen, want alleen de waarheid laat vrouwenharten imploderen.'

De zielenknijper pakt de ballpoint van achter zijn oren vandaan en kijkt verrast, want doorgaans is Max niet zo lang van stof; zinnen als minirokjes. 'Ik haat het als mijn verloofde eet. Knapperige dingen. Als we samen in de bioscoop zitten bijvoorbeeld, wat sowieso niet vaak gebeurt aangezien we niet over dezelfde filmsmaak beschikken, dan eet ze van die Mexicaanse chips. Dat oorverdovende gekraak en gesmak, dan lijkt mijn lief, de vrouw van mijn dromen, op een hongerige dinosauriër die zijn kunstgebit is vergeten in te doen. Een soort tortilla-Godzilla. Op dat soort momenten wil ik haar hersens inslaan met de zaklamp van de plaatsaanwijzer.' De psychiater knikt instemmend. 'Maar waarom zijn jullie eigenlijk verloofd dan?' 'Verloven is tijdrekken, geloof mij, mensen die echt willen trouwen die trouwen meteen. Verloven is bel mij maar niet, ik bel jou. Je geeft iemand hoop op het delen van een toekomst, maar als je morgen niet wilt trouwen, waarom zou je over twee jaar dan wel willen trouwen? Ik snap dat niet, net alsof vrouwen leuker worden. Lynn was ooit een 9, nu is ze een 4. Verloven werkt als vangnet voor het onafwendbare verval van de vrouw. Het is tijdrekken, totdat je de volgende 9 tegenkomt.'

Max zoekt lichamelijk contact met Spillman, een hand, een boks, iets. Als je als man dingen met een andere man deelt, is lichamelijk contact daarna vereist. De andere man moet je kracht voelen, dat je sterker bent. Ik vertel je dit alles, maar vergeet niet dat ik sterker dan je ben. In alles. Ik breek je kaak en pak je levenspartner. Kroon loopt de deur uit, pakt een stuk zoethout uit zijn binnenzak en pleegt een telefoontje. 'Ik weet het niet hoor. Ik twijfel nog. Natuurlijk heeft hij bepaalde trekjes, maar of-ie echt op mannen valt? Ik heb over drie dagen weer een afspraak. Dan weet ik meer, mevrouw Spillman.' 'Droeg u, zoals afgesproken, een kleurrijke stropdas en de aftershave die ik had opgestuurd? Ik weet het zeker. Mijn man is van de mannenliefde.' 'Of hij is op u uitgekeken?' 'Geen sprake van, ik zit op bikram yoga, ik heb het lichaam van Kromowidjojo. Mijn man is een homo. Over drie dagen doe je beter je best, ik betaal je niet voor niets. Max Kroon? Ook jij kan onttroond worden. Vergeet dat niet.' 'Rustig aan, mevrouw Spillman, ik vertel u ook niet hoe u een broek strijkt. Dit is mijn werk, ik ben de beste en zal u zeker niet teleurstellen. Ik ben Max godverdomme Kroon. Niet goed geld terug. Wat doet u vanavond?'

Arie Boomsma & Dennis Storm

Liefde in tijden van shufflestand

De wereld om ons heen draait in hoog tempo door. Zomerliefdes overleven doorgaans de winter niet, affaires stranden nog voordat ze relatie worden genoemd. Dennis en Arie namen op een onbewaakt moment zowaar het archaïsche woord 'trouw' in de mond. Een twitterdialoog over de liefde, in een tijd waarin de levens van velen op shufflestand staan.

Arie Boomsma @arieboomsma
Ik weet het gewoon niet meer. Is een lange relatie nog wel van deze tijd? Wat is het belang van trouw?

Dennis Storm @De–Storm
Beste Boom, trouw is alles. Het snelle stelt wat mij betreft geen fuck voor. Misschien zouden we zonder zelfs beter af zijn.

Arie Boomsma @arieboomsma
Maar alles is snel, waarom dan niet ook de liefde?

Dennis Storm @De–Storm
Niet alles. Hoe sneller de wereld, des te meer behoefte aan dat hemelse thuis. Ieder z'n geloof, en dat is het mijne.

Arie Boomsma @arieboomsma
Die behoefte herken ik, maar hoe voorkom je in een shuffletijdperk dat je uit elkaar groeit?

Dennis Storm @De–Storm
Voor mij is het gissen. Nooit iets wat er qua geluk eigenlijk níét toe doet aandacht geven wanneer de droom daar ook om vraagt?

Arie Boomsma @arieboomsma
Dat vind ik heel erg mooi. Toch blijkt het in de praktijk niet zo makkelijk. Zoveel dingen geven voldoening of misschien zelfs geluk.

Dennis Storm @De–Storm
Tja, snel en tijdelijk geluk. Het gaat meer over consumeren dan over daadwerkelijk gelukkig zijn. Voor het laatste vind ik trouw een belangrijk ingrediënt.

Arie Boomsma @arieboomsma
Terwijl er zoveel andere keuzes zijn, kiezen voor trouw. Ja, zo heb ik dat ook altijd gezien. Maar het bleek niet bestand tegen de tijd.

Dennis Storm @De–Storm
In meerdere opzichten. Belangrijk lijkt mij ook de tijd waarin je iemand tegenkomt in je leven. Ben je er klaar voor, waar sta je, is het niet te vroeg?

Arie Boomsma @arieboomsma
Of was het wel de juiste tijd, maar ging die ook weer voorbij? Als dat kan, wat is het dan waard?

Dennis Storm @De–Storm
Liefde vieren is een risico. Het kan stukgaan. Leer van het pak slaag, weet dat zij hét blijkbaar toch niet was en het mooiste feest nog op je wacht.

Arie Boomsma @arieboomsma
Het lijkt wel een peptalk, maar je hebt gelijk... durven te vertrouwen op de liefde. Steeds opnieuw. Dank, broeder. Lang leve de zomer dan maar!

Dennis Storm @De–Storm
De zomer van 2013, vol warmte en liefde. HERRIJS, BROEDER!

Arie Boomsma @arieboomsma
Amen! Het is misschien wat ernstig en filosofisch voor dat zomerboek, anders zou deze dialoog er zo in kunnen. De zomer, de liefde...

Dennis Storm @De–Storm
Dan is de cirkel toch rond? Want voor de liefde moet je altijd ruimte maken.
Ernstig, filosofisch... Soit. We zetten het er gewoon in.

Tim Hofman

‘Gedichten’

BankWezen

Ik teken rekeningen
en bereken dingen.
Reken en
verzeker dingen.
Verzin verzekeringen
en zeker zeven dingen
tegenover leken
over rekendingen.
In groten getale
getallen vertalen,
vertel
sterke stalen
brutale verhalen
over balen
van betalen
en dalende
bankschandalen.
Belast ze
bijna hijgend
met stijgende
belastingschalen.

Er valt
schandalig veel
te halen,
pluk ze
verbaal
inhalig kaal
met ideale taal
en zonder idealen.

Hypochonder

Zojuist
de huisarts
afgebeld,

ik heb
me ziek
gemeld.

Vreemdgaan

'Goeiemorgen,
je was laat,'
zeg je
als je naast
me staat
en je aait
over m'n rug,
een tikje op
m'n kont,
ik draai
me om,
glimlach terug
en poets met
jouw
borstel de
buurvrouw
uit m'n mond.

Jostiband

Twee mongolen
en een trommel
en een fluit.

Het klinkt
volkomen kut
en zo ziet het er
ook uit.

Nico Dijkshoorn

Het schijnt
dat lampen
rijmt op
tampon.

BNN *voor gevorderden*

'Goedenavond!

Vandaag bij
Die Before
You Try
zal Steven proberen
te jongleren

met veertien pistachenoten
nadat hij zichzelf een aantal keren

door zijn hoofd heeft geschoten.'

Punchline

Dat er
in iedere
pacifist

een passie
voor vuisten
zit.

Broodmager

God, wat een lol.
Die dikke vrouw
koopt rozijntjes.
Nu is ze krentenbol.

Pantoffeldier

Stylingtip:

★tromgeroffel★

stop je voet
in een konijn
en gebruik 'm
als pantoffel.

Het dieptreurige verhaal over de incontinente clown die ook nog eens een necrofiele pedozoöfiel was en wiens carrière in het slop aan het raken was (dus daarom zoveel dronk)

En toen
alles
wéér
(per ongeluk)
onder
de poep
zat
en hij
dronken
een dode
puppie
verkrachtte
merkte
hij
dat
eigenlijk
niemand
in de
zaal
nog
echt
om
hem
lachte.

TijdeLijk

Gelukkig stierf-ie
op de laatste dag
van z'n leven.

Elk ietsje eerder
was zonde geweest
al was het maar
heel even.

(Fransjes misvatting omtrent het fenomeen)

‘Groepsverkrachting’

Van afstand
nam Fransje
alle dames
nog maar eens
stuk voor stuk
onder de loep
en dacht
‘Weet je wat?
Ik doe gewoon
de hele groep.’

Hoermoordenaar

Gedoe.
Omdat er
bloed aan
de vloer kleeft,
het vloerkleed,
die hoer heeft
haar klanten-
bestanden
geslacht met
haar handen,
at ze nog levend
met huid,
haar en tanden.
’t Behang
moet vervangen,
’t is bevlekt
door die gek.
Het is rood
als de dood.
Kijk in ’t licht,
wat er ligt:
het lijken
toch lijken.
Ook geen
gezicht.

Komt een clown bij de dokter

Een laatste
blik
in de
spiegel,

hij ziet
het mislukte
traantje naast zijn kijker,
ondanks het gepriegel.

Trots zet hij zijn
rode neusje op
zijn wit
geschminkt gelaat,

pakt zijn
vouwballonnenset,
kijkt hoe het krullenpruikje
op zijn kale knikker staat.

De beste man
geeft
– God
wat doet
dat zeer –
zichzelf nog eens
een knipoog.

Voor de
allerlaatste keer.
'Daar gaan we,'
zegt hij
fors
doch ietwat
ontdaan,

want na vanavond
zal deze cliniclown
nimmer meer
aan zijn eigen sterfbed staan.

Anorexia

'Goed nieuws!

We moeten bezuinigen,
daar
de kliniek het

financieel gezien niet redt,

maar
we kunnen flink kosten
drukken op de slaapplekken,
want jullie passen makkelijk

met z'n negenen in een bed.'

Arjen Lubach

Hond

Op de Lindengracht kwam een hond naast me lopen. Ik zag hem in mijn ooghoek verschijnen en na een meter of vijf stopte ik. Ik draaide me naar de hond. De hond bleef ook stilstaan en keek me aan.

'Hallo,' zei ik. Ik praat tegen honden zoals ik tegen mensen praat; zonder enige hoop op een zinnig antwoord. Ik keek om me heen. Ook de hond keek om zich heen. Nergens in onze omgeving zag ik iemand die hem kwijt kon zijn. Zijn tong hing uit zijn mond.

'Bij wie hoor jij?' vroeg ik.

Het was een hond van een ondefinieerbaar ras. Een mooie, kleine labradorvariant, met hangende oren en een blonde vacht. Ik zette een paar stappen en zag hoe de hond ook weer in beweging kwam. Hij wilde niet spelen, zocht geen eten en deed geen pogingen om me aan te vallen. Zijn houding was helder: hij liep naast me zoals honden naast bazen lopen tijdens het wandelen. Met zijn lijf schurkte hij soms tegen mijn been en omdat ik net twee grote glazen bier had gedronken in een café bracht me dat uit balans. Het was nog geen avond.

'Ik kan geen hond gebruiken in dit verhaal,' zei ik streng. 'Ga naar huis.'

De hond ging niet naar huis.

Een halfuur later zaten we in mijn woonkamer. De hond

was me blijven achtervolgen in de Jordaan, tot ik de hoop had opgegeven dat hij zelf zijn baas terug zou vinden. Het kostte geen moeite om hem mijn huis in te krijgen, hij liep vanzelf mee naar binnen.

Ik dacht even na en belde toen het telefoonnummer van de politie. Niet 112, maar dat andere, minder urgente telefoonnummer dat je kunt bellen als je huis maar een klein beetje in de fik staat, of als je zusje net niet helemaal is verkracht. Ik hoopte dat ze bij de politie niet konden horen dat ik al bier had gedronken.

'Heeft de hond u aangevallen?' vroeg de telefoniste.

'Nee,' zei ik. Ik keek naar het dier dat zich inmiddels had opgerold op mijn vloerkleed. Hij sliep. 'Het is gewoon een vriendelijke hond.'

'Was de hond vastgemaakt aan een boom of paal?' vroeg ze.

'Nee,' zei ik.

'Draagt hij een chip?'

'Hoe moet ik dat zien van de buitenkant?' vroeg ik en ik zocht op de vacht van de hond naar plekken waar een chip zou kunnen zitten. De hond leek dat prettig te vinden.

'Ik weet het ook even niet,' zei de vrouw. 'Is hij misschien gewond?'

'Nee,' zei ik.

'Jammer,' zei ze.

'Jammer?'

'Ja, anders kon u de dierenambulance bellen. Die komt meteen als er een dier gewond is.'

Uit haar manier van spreken kon ik opmaken dat het haar een goed idee zou lijken wanneer ik zo snel mogelijk zou beginnen met het verminken van de hond, zodat ik de dierenambulance kon bellen.

'Hij is niet gewond en niet gevaarlijk,' zei ik. 'En hij draagt geen halsband.'

'Bent u allergisch?'

'Nee,' zei ik geërgerd. 'Ik voel me prima.'

Ik luisterde naar haar laatste vragen, ik voelde hoe de glazen bier een mist in mijn hoofd hadden opgetrokken en ik dacht aan L., het meisje dat me een paar maanden geleden had gevraagd of ik allergisch was voor katten omdat ze anders niet met me om kon gaan. En ik dacht aan hoe ze ondanks mijn antwoord daarna toch een nacht was blijven slapen en ik later nog een nacht bij haar, maar hoe ik vervolgens alles in volledig bewustzijn uit mijn handen had laten flikkeren, tot ik niet meer begreep hoe zoiets überhaupt kon gebeuren.

Ik had de verbinding met de telefoniste van de politie verbroken. De hond was wakker geworden en rechtop gaan zitten. Hij keek vragend. Ik liep naar de keuken, vulde een slakom met water en zette het voor hem neer. Omdat de dag toch verloren was, schonk ik voor mezelf een glas mousserende wijn in uit een fles die over was van de avond ervoor. Met de zijkant van mijn glas tikte ik tegen de kom water van de hond.

'Proost,' zei ik tegen de hond. 'Nu denk ik weer aan haar. Bedankt.'

Ik aaide de hond over zijn kop en toen hij vragend bleef kijken legde ik hem uit dat ik het vermoeden had gehad dat L. een meisje was dat zo vaak mooi gevonden werd, dat ze zichzelf soms op andere manieren lelijker wilde maken; in woorden, in beelden, in een merkwaardig stekelig harnas van ontoegankelijkheid. En ik legde de hond uit dat dat me juist allemaal niets had kunnen schelen. Dat zowel haar bekoorlijkheid als die zelfbedachte bullshit er niet toe deed, omdat ergens precies in het midden van dat lelijke en dat mooie een punt zat waar we met dezelfde snelheid trilden en de golven even lang en hoog leken. En dat het me vooral om dat punt te doen was geweest.

De hond leek me te begrijpen.

'Ik moet jouw chip laten uitlezen,' zei ik toen mijn glas leeg was. 'Als je die al hebt.'

Voor ik een dierenarts zou bellen zou ik eerst nog een keer teruglopen naar de Lindengracht. Misschien was ik te snel verdwenen, misschien had ik hier en daar in de straat moeten aanbellen om te vragen of er mensen waren die de hond herkenden.

Ik zocht in mijn gang naar iets wat als riem kon dienen, maar vond alleen een oud snoer dat in een modem had gezeten. Met de online-hond aan een internetkabel liep ik naar buiten en wandelde in de roes van alcohol en een gesmokkelde voorjaarsdag terug naar de Lindengracht.

Onderweg vertelde ik de hond dat L. een oog had dat niet werkte en dat ik dat stiekem het leukste aan haar had gevonden. Op een nacht staken we de Stadhouderskade over en vroeg ze aan mij of ik naar links wilde kijken of er een auto aankwam. Ik had van dat moment, daar op de fiets – precies toen ze dat aan me vroeg – graag een MRI-scan gehad om te zien wat er met mijn organen en bloedstromen gebeurde.

Toen we bijna bij de Lindengracht waren vertelde ik de hond over het filmpje dat L. me had gestuurd. Ze had het gemaakt met haar telefoon, de eerste ochtend dat ze bij mij had geslapen. We hadden een kindersurprise-ei geopend en een plastic vliegtuig in elkaar gezet. Het lukte maar niet om het te laten vliegen. Het filmpje eindigt abrupt, met de stem van L. Ze zegt: 'Stemmige muziek. *Fade to black*.' En dat is precies wat er gebeurde, nog geen twee weken later, en ik vroeg aan de hond of hij dacht dat L. dat toen eigenlijk al had gesnapt. Als enige. En ik niet, ik snapte niets, dat zie je heel duidelijk op het filmpje. Ik begreep er helemaal niets van.

Ik had L. daarna een bericht gestuurd: 'Ik heb buikpijn van alle woorden die ik heb ingeslikt.'

Aangekomen op de Lindengracht bleven we staan. Ik overwoog de hond los te maken en het op een rennen te zetten. Terug naar huis, terug naar het café, zolang hij me maar niet opnieuw achterna kwam. Voor ik iets kon besluiten kwam de eigenaar van een winkel naar buiten.

'Dat is die hond van de lantaarnpalen,' zei hij. 'Of heb je hem al weer terug?'

Ik keek naar de lantaarnpalen in de straat en zag A4'tjes hangen.

'Bedankt,' zei ik en we liepen naar de posters.

LAIKA is kwijt
beloning: € 100

Daaronder stonden een telefoonnummer en een adres. Ik belde het nummer, maar kreeg een voicemail van een jonge vrouw die haar naam niet noemde. Ik verbrak de verbinding zonder in te spreken en besloot de hond maar meteen naar het adres op het briefje te brengen. Het was vlakbij.

'Dus je bent een vrouwtje?' vroeg ik. Ik vond het dom van mezelf dat ik dat niet al eerder had gezien. De hond liep naast me, snuffelde aan de stoepen en gebouwen.

'Laika,' riep ik ineens en ze draaide haar kop snel en vrolijk naar mij toe. Ik glimlachte. 'Je bent het echt,' zei ik. 'Gelukkig.'

Laika leek ineens de straat te herkennen, want ze trok steeds enthousiaster aan de internetkabel. Het snoer striemde in mijn hand en ik had moeite om haar bij te houden. Ik moest oppassen dat ik niet struikelde en ik voelde de glazen bier en de mousserende wijn naar mijn hoofd stijgen. Steeds probeerde ik me een voorstelling te maken van degene die mij op een voicemailbericht had toegesproken, maar er verscheen geen helder gezicht, of althans, er verscheen wel een gezicht, maar het was geen nieuw gezicht, maar weer hetzelfde gezicht: dat van L. Ik schudde mijn hoofd, maar achter elke denkbeeldige deur die de bazin van Laika opentrok stond het meisje met het plastic vliegtuigje dat uit een ei kwam, met een blauwe racefiets, met haar licht loensende blik waar ik zo gecharmeerd van was geweest. Terwijl de hond me over de Lindengracht trok liepen alle beelden en geluiden in elkaar over.

Ik belde aan bij het adres van het papiertje op de lantaarnpaal. Een vrouw deed open.

'Laika,' riep ze luid. 'O god wat fijn.'

Daarna keek ze naar mij en begon ze me te bedanken.

'Ik ken jou,' zei ze uiteindelijk.

'O?'

'Ik heb een boek van je gelezen,' zei ze. Ik schrok zoals ik altijd schrik als mensen dat zeggen, omdat ze mij dan meteen negentigduizend woorden beter kennen dan ik hen.

De vrouw leek in niets op L. Ze was klein, een jaar of dertig. Ze had iets Aziatisch.

'Je krijgt honderd euro van me,' zei ze. '*Fair's fair.*'

Ik schudde mijn hoofd. 'Dat is niet nodig,' zei ik. Ik hield me vast aan de deurpost en wreef in mijn ogen. 'Het was geen moeite.'

'Gaat het?' vroeg ze.

'Sorry,' zei ik. 'Ik dacht dat je misschien iemand anders zou zijn.'

Ze keek verbaasd. 'Hoe bedoel je?' vroeg ze.

Even dacht ik eraan om haar de waarheid te vertellen; dat ik haar nodig had gehad om de hond over L. te vertellen, om mijzelf over L. te vertellen. Dat de drank ervoor had gezorgd dat ze kort ondergeschikt was geweest aan de mogelijkheid dat iemand anders de deur open had gedaan. Maar ik zei niets.

'Iemand anders?' vroeg ze. 'Maar wat doe ik dan in dit verhaal?'

'Niets,' zei ik. 'Jij krijgt je hond terug. Verder niets.'

Özcan Akyol

Hypnotic Poison

Vanavond ga ik Floor over de buitenvrouwen vertellen.

Haar beste vriendin zag mij gisternacht, in een drukke shoarmatent, met Chandra zoenen en gaf me twee dagen tijd om het zelf te zeggen – anders zou zij het doen. Dat het allemaal zo ver is gekomen snap ik ook niet zo goed, hoe slap het ook mag klinken, maar plots was ik, naast mijn verkering met Floor, in twee andere affaires verwikkeld.

Wij gaan al vier jaar samen, sinds de zomer van 2009, toen ik haar op Bloemendaal in de populaire Beach Club tijdens een of ander hiphopfestival tegenkwam. Eigenlijk geilde ik toen op haar vriendin, een klein Indisch meisje met tieten die uit haar beha bolden, maar ondanks verwoede pogingen van mijn kant liep het op niets uit, want toen ik naar het portable toilet liep, een verzamelplek van cokesnuivers en pillenslikkers, lag die Indische kreunend in de bosjes, terwijl ze door een grote neger werd gevingerd.

Ik kuierde licht aangedaan terug naar de dansende menigte, kocht een Mojito voor Floor en nog dezelfde avond lagen we met elkaar in een hotel.

Het is niet zo dat ik niet van mijn vriendin houd, integendeel, ze is het beste meisje dat ooit mijn pad kruiste, alleen ben ik nu eenmaal een man die heel veel liefde kan geven. Ik ruk bijvoorbeeld twee keer per dag, zelfs als ik eerder op de middag heb liggen krikken, dat maakt me allemaal geen reet uit. Bij elk mokkel dat ik op straat zie lopen, heb ik zoiets van: zou ik haar doen? En met mijn abonnement op de *Playboy* ben ik nog steeds dolgelukkig, ondanks het seksuele verkeer in mijn leven, dat tegenwoordig dus niet van de lucht is. Mijn beste vrienden zeggen dat ik gestoord ben. Ik hoop dat ze de schijttyfus krijgen, die vieze teringlijers!

Het is allemaal begonnen toen die klotefilm in de bioscoop ging draaien, nu bijna twee jaar geleden. Op goed geluk ging ik naar de casting, in de hoop dat niemand zou merken dat ik het te verfilmen boek niet eens had gelezen, laat staan dat ik er ooit van had gehoord. Een maat van de Toneelschool adviseerde mij ooit voor elke rol te gaan, ook al had ik niets met het verhaal of de regisseur, als mijn hoofd maar in beeld was – dus dat deed ik. De concurrentie vierde successen in soaps en films. Mij keken ze met de nek aan, onbekend als ik was. De enige klus die het landelijk goed had gedaan, was die keer dat ik de nieuwe hamburger van een bekende fastfoodketen moest aanprijzen.

Tot ieders verbazing, ook die van mij, kreeg ik de hoofdrol, en meteen was er veel aandacht voor de film in de landelijke pers omdat het boek een enorme bestseller was. Ik had vaak het gevoel dat ik werd geleefd, in het begin al, maar dat was niet erg, want in elke bar en club was ik opeens eregast en hoefde ik niet voor mijn drank te betalen. Hoe dan ook, die film liep als een trein, mijn kop verscheen overal op posters en billboards, we braken het ene na het andere bezoekersrecord en ik mocht zelfs bij programma's als *De Wereld Draait Door* en *Spuiten & Slikken* op komen draven. Dat ene meisje trouwens dat bij BNN werkt, volgens mij heet ze Geraldine Kemper of zo, *zíj* is echt een lekker wijf, al vermoed ik dat ze tamelijk lesbisch in het leven staat, want toen ik haar een briefje van tweehonderd euro gaf en vroeg of ze meeging naar mijn huis sloeg ze me op m'n neus.

Floor en ik hebben in Shabu Shabu afgesproken, haar favoriete tent. Ze is dol op sushi. Vanaf de eerste dag van onze relatie eet ze rauwe vis, soms wel drie of vier keer per week, een van die kleine dingen die mij na pak 'm beet een jaar gingen irriteren. Ik hou helemaal niet van sushi. Doe mij maar een grote steak, met rauwkost, frietjes en heel veel mayonaise, de ideale maaltijd. Gelukkig hebben die Japanners vaak wat vlees op het menu, al hebben ze geen verstand van de bereiding ervan.

Veel mensen denken dat ik weinig discipline heb, maar als het op mijn werk aankomt ben ik erg punctueel, bijvoorbeeld met film en nu met m'n debuutroman die volgend jaar bij uitgeverij Lebowski verschijnt, gerund door Oscar van Gelderen – de hipste uitgever van Nederland, na Mai Spijkers, die me helaas niet wilde tekenen, omdat hij mij een arrogante blaaskaak vindt. Bovendien had hij al een paar buitenlanders, naar eigen zeggen. Maar goed, ik ben dus erg rigide: bij afspraken verschijn ik altijd een halfuur voor aanvang en ga dan gewoon aan de bar zitten wachten, of als ik bij een kantoor moet zijn, dartel ik geduldig om het gebouw heen. Volgens mijn schoonvader is het namelijk *not done* veel eerder dan afgesproken bij iemand aan te bellen. Hij kan het weten, die man bestiert een advocatenkantoor met een miljoenen omzet en heeft zeventig man personeel.

Ik ga aan de bar staan, wacht geduldig op m'n beurt en schrik een beetje als de bedrijfsleidster mij met drie zoenen begroet. Dat is nieuw. Ze ruikt naar dat luchtje van Dior, Hypnotic Poison Eau Secrete, honderd milliliter kost tweeënnegentig euro. Wat een kennis! Om eerlijk te zijn: vorige week was het Internationale Vrouwendag, toen heb ik zowel voor Floor als Chandra als Laura een fles gekocht, gewoon om ze even in de watten te leggen want het lijkt me niet eenvoudig vrouw te zijn, vooral als er zulke aasgieren als ik rondlopen. De bedrijfleidster heeft een strak lichaam – haar zou ik zonder twijfel doen.

'Hoe laat komt Floor?' vraagt ze. Ik kijk op mijn Panerai, iets langer dan nodig is, omdat ik graag met dure spullen koketteer, het zit nu eenmaal in de genen.

'Dat duurt nog ruim een kwartier.'

'Wil je alvast aan tafel zitten, *honey*, of blijf je liever hier?' Ze legt een hand op mijn schouder en kijkt me ondeugend aan, verdomd, als dit mokkel me niet probeert te versieren.

'Op welke plek kan ik jou het beste in de gaten houden?' vraag ik. De bedrijfsleidster schuift een kruk naar achter, slaat met haar hand op het zitvlak en wandelt vervolgens naar de bar om een glas Jack Daniel's voor mij in te schenken. Zo vaak komen wij hier dus.

'Deze is alvast van mij,' zegt ze.

Daarna verdwijnt ze de eetzaal in, die bijna helemaal vol zit, op twee tafels na, waarvan eentje voor ons bestemd is. Langzaam glijdt de whisky in mijn keel, terwijl ik nog eens goed over mijn aanstaande bekentenis nadenk. Ik peins er al heel lang over, misschien wel anderhalf jaar, zo lang duurt mijn affaire met Chandra inmiddels, maar nooit had ik de ballen om het ook echt te doen. Waarom zou ik ook? Floor en ik hebben, ondanks de onderlinge irritaties, nog steeds geweldige seks. De verliefdheid is er misschien niet meer, maar ik hou wel degelijk van haar, ontzettend veel. Daarom valt dit me ook zwaar. Maar het moet wel, anders zal die klotevriendin haar inlichten. Ik bestel nog een whisky, nu bij een andere medewerkster, een dik Japans meisje – haar zou ik niet doen.

Chandra en ik leerden elkaar kennen tijdens een première in Tuschinski. Meteen trok ze mijn aandacht met haar elegante jurk, van het merk Karen Millen, als ik me niet vergis, en met een sexy open rug. Voor de verandering was ik zonder Floor gekomen, omdat zij moest overwerken, wat ze de in die periode vaker deed. Ik stond met een paar gasten uit het wereldje aan een tafel en probeerde oogcontact met m'n prooi te maken. Dat was snel geregeld. Na een halfuur, toen ze zonder drank kwam te staan, liep ik met twee witte wijntjes haar richting op, ondertussen werd ik door de jongens aangemoedigd.

'Wat brengt jou hier, schoonheid?' We gaven elkaar een hand.

'Ik ben redactrice bij een radioprogramma,' zei ze. 'We recenseren af en toe televisie en film. Wat jij hier komt doen, hoef ik natuurlijk niet te vragen, meneer de filmster...'

'Wat vond je van de film?' vroeg ik.

'Welke?' Plagerig keek ze me aan met die grote blauwe ogen van haar. Vaak weet ik helemaal niet wat ze denkt, of ze wel meent wat ze zegt en hoe zij zich voelt. Dat meisje kan mij bespelen, alsof ze gif in haar ogen heeft, *hypnotic poison*, misschien ben ik daarom wel al die tijd bij haar gebleven, voor de spanning en het avontuur, om een mysterie op te lossen.

'Míjn film natuurlijk. Niet die bagger van daarnet.'

Ze hield het glas tegen haar kin. 'Hm... Ik vond jouw film bij vlagen interessant, de regisseur is een genie, dat is evident, maar het boek was stukken beter.'

'Wat? Je weet niet waarover je praat!'

Na de première gingen we in een café zitten, ergens op het Leidseplein, tussen allerlei dronken toeristen. De vonk sloeg direct over. Nog diezelfde nacht lagen we op haar boxspring, beiden met een flinke stuk in onze kraag waardoor de seks niet veel soeps was. Desondanks beleefden we een doorwaakte nacht, omdat we maar niet genoeg van elkaar konden krijgen, zo sterk was de aantrekkingskracht. Via WhatsApp bleef ik haar spreken, later zouden Chandra en ik praktisch elke week *meeten*, vaak in hotels, en bijna altijd draaide dat uit op keiharde porno. Ik zeg maar gewoon waar het op staat.

De emotionele band tussen Chandra en mij is vaag, soms snap ik er helemaal niets van. Ik weet niet of ze verliefd op mij is of dat ze me alleen maar gebruikt voor de intimiteit. In elk geval is ze op de hoogte van mijn verkering met Floor, maar die ze vindt niet erg, zolang ik haar ook maar haar gang laat gaan, dat is haar voorwaarde. Wat kan ik daar tegenin brengen? Ik heb altijd sterk het gevoel gehad dat ik met Floor verder wilde, dus deze overeenstemming met m'n buitenvrouw kwam me eigenlijk heel goed uit, al heb ik soms het idee dat ik Chandra óók aan mij wil binden, onbewust, ik bedoel: anderhalf jaar is niet kort, dan raak je aan iemand gehecht, tegen beter weten in.

'Mag ik toch alvast aan het tafeltje zitten?' vraag ik, terwijl de bedrijfleidster achter me langs glipt met een paar lege glazen op haar dienblad.

'Natuurlijk, *cutie*, wacht even.' Ze wandelt naar de bar en wast een paar seconden haar bleke handen, om die vervolgens aan een vuile theedoek te drogen. Als ze voorover buigt, vang ik een glimp van haar borsten op, een beeld waarvan ik dankbaar geniet. Ik denk dat ze cup c heeft. We kijken elkaar een paar seconden aan en ik voel me ietwat ongemakkelijk, vooral als ze weer mijn kant op komt. Haar hakken tikken op de houten vloer. Plotseling haalt ze een briefje uit haar schort, het is nat geworden, waardoor de blauwe cijfers zijn uitgelopen.

'Mocht het niks worden met dat meisje van jou, dan mag je me altijd bellen.'

Ik stop het papier in mijn kontzak, spring van mijn kruk en leg een hand op haar onderrug, op zo'n manier dat niemand het kan zien. Onbeweeglijk staan we daar, een paar seconden, alsof er helemaal geen gevaar loert. De bedrijfleidster heeft bruin haar en een groot voorhoofd, dat laatste vind ik altijd sexy bij vrouwen.

'Misschien doe ik dat wel...' zeg ik. We laveren naar de tafel.

Ik benader mijn werk misschien heel principieel, maar als het op de liefde aankomt, heb ik totaal geen controle. Het voornemen om alleen nog met blonde schoonheden aan te pappen, kan nu ook in de prullenbak. Dat zit zo: als je relaties met drie blonde vrouwen hebt, dan scheelt dat een hoop gezeik. Floor en Laura verliezen veel haar, mijn jas zit altijd helemaal onder, maar aangezien ze dezelfde kleur hebben, valt het gelukkig niet op. Het is een kunst dit soort valkuilen uit te bannen. Daarom heb ik ook alle drie hetzelfde parfum gegeven, dan denken ze misschien dat ze zichzelf ruiken, maar eigenlijk ruiken ze een collega. Een player moet doortrapt zijn, zo werkt het nu eenmaal.

In dit restaurant mag je vijf rondes *all you can eat* bestellen, en dat allemaal op een tablet van Motorola. De wereld wordt steeds moderner. Ik pak het ding van tafel, druk op de knop SERVICE en er komt vrijwel meteen een klein blond meisje – haar zou ik niet doen. Of ja, misschien na een fles Jack Daniel's, als ik minder kritisch ben.

'Mag ik nog een glas whisky?'

'Uiteraard, meneer. Ik heb trouwens volop van uw film genoten.'

'Dank je wel. Dat is goed om te horen. Je hebt hem toch wel in de bioscoop gekeken, en niet gedownload of zo, via torrents, nieuwsgroepen of hoe dat ook allemaal heet?'

Ineens wordt ze zo rood als de neus van een clown. 'Nee, hoor. Echt niet. Gewoon netjes in de bios, samen met mijn vriendje.'

'Doe hem de hartelijke groeten. En nu krijg ik eigenlijk wel dorst.'

Met Laura ben ik ook weleens in deze tent geweest, helemaal in het begin, misschien was het zelfs onze eerste date, dat weet ik niet meer precies. De ontmoeting vond in elk geval plaats bij een commercieel televisieprogramma, backstage, waar zij als freelance visagiste was ingehuurd om deelnemers van make-up te voorzien. Terwijl ik in de stoel zat en haar borsten al dan niet bewust tegen mijn hoofd schuurden, kletsten we over koetjes en kalfjes. Meteen was er chemie. Ben Saunders zat in de andere stoel. Hij werd onder handen genomen door een strenge Surinaamse – haar zou ik niet doen. In de grote spiegel trok hij allerlei gekke bekken, volgens mij bedoeld om me te supporten.

'Ik deed vroeger ook persoonlijke visagie,' zei Laura.

'Wat is dat?'

Ze hurkte neer en trok een visitekaartje uit haar tas. In de spiegel hield ik haar in de gaten, net als Saunders, die dol van geilheid werd.

'Als je bijvoorbeeld op de foto moet voor een blad, dan kan ik met je meegaan, om je mooi te maken.'

'Ben ik nog niet mooi genoeg?'

Laura loerde me aan. 'Nog mooier. Een vaste visagiste

is beter, die weet tenminste wat je nodig hebt. Je krijgt een band met elkaar.'

'En wie moet dat allemaal betalen?' vroeg ik. 'Ik ben niet zo rijk als Ben.'

'Jij hebt geld zat, abi, niet zo gierig,' zei hij.

'Nou vooruit.' Ik trok mijn hand onder de kapmantel vandaan, nam het visitekaartje over en las haar naam. 'Maar je moet je wel eerst bewijzen. Ik wil dat je al die gekleurde vlekken in de nek van Ben wegmaakt, ze moeten niet meer zichtbaar zijn.'

Laura was blijkbaar niet goed op de hoogte van zijn tatoeages, want ze draaide zich nog eventjes om ook, vast van plan zijn huid een mooie egale kleur te geven. We moesten allemaal erg lachen, zelfs de Surinaamse.

Met Chandra is het leven best eenvoudig, zij weet tenminste van mijn verkering met Floor en kijkt niet raar op als onze foto in een krant staat, bij een première of zo, maar bij Laura ligt het heel anders. Die leeft in de veronderstelling dat zij mijn vaste verkering is en dat er helemaal geen anderen zijn. Voor de tijd van social media, ergens rond het jaar 2000, toen ik nog een puber was, kon je meisjes eenvoudig om de tuin leiden. Wat verlang ik terug naar die periode! Ik heb Facebook en Twitter gedeletet, die bezorgden me alleen maar last. Floor wilde bijvoorbeeld op Facebook bij haar relatiestatus zetten dat ze bij mij hoorde, wat niet handig was, aangezien Laura ook in mijn vriendenlijst stond.

En Twitter is al helemaal kut. Een keer was ik met Laura in Café Nol, in de Jordaan. Even daarvoor had ik me afgezonderd in het toilet van het restaurant waar we samen hadden gegeten. Daar belde ik met Floor, die al in bed lag en ervan uitging dat ik na ons gesprek ook zou slapen, omdat ik vertelde thuis te zijn. We bespraken onze dag, zeiden lieve dingen tegen elkaar en toen ging zij pitten. In Café Nol dansten Laura en ik de hele nacht, omringd door studentes die allemaal met mij op de foto wilden, wat altijd weer een enorme *boost* voor mijn ego is. De volgende ochtend werd ik wakker. Laura lag nog te slapen en ik las verveeld mijn mentions op Twitter. Dat tuig in het café had de foto's online gezet. Als Floor die kiekjes zou zien, was ik mooi genaaid. Het gebeurde gelukkig niet. Die dag heb ik mijn profiel verwijderd.

Laura is een lief meisje, dat keihard werkt, soms is ze zeven dagen per week op pad. Altijd maar die dikke koffers meezeulen, ik heb er enorm veel respect voor. Zij is niet het type dat achteroverleunt, maar elke dag het onderste uit de kan wil halen. Dat is ook de reden dat we elkaar niet zo vaak zien. De laatste paar weken praat ze vaker over samenwonen, het liefst bij haar in Purmerend. Tot nu toe weet ik dat onderwerp altijd af te kappen, maar voor hoe lang? Laura staat serieus in het leven. Er komt een moment dat ze ook aan kinderen wil beginnen, en dan moet ik echt afscheid van haar nemen, hoe moeilijk ik dat ook vind.

Tien minuten later dan afgesproken zwaait de voordeur van het restaurant open en betreedt Floor Shabu Shabu, zoals altijd onberispelijk en buitengewoon sexy gekleed, ondanks haar werkweken van zeventig uur. Sinds zij als fulltime advocate door het leven gaat is ze veel assertiever geworden. Dat hele proces, die verandering in haar persoonlijkheid, heb ik van dichtbij meegemaakt. Het geeft me een trots gevoel, want nu is ze een vrouw met wie niet te sollen valt, al komt dat vanavond, met de aanstaande bekentenis, niet echt goed uit.

'Hallo, lieverd,' zegt ze. Ik richt me overeind en geef haar een kus. Ze zet haar tas op de grond en trekt haar jas uit. Het blijft apart om verschillende meisjes zo kort achter elkaar te zoenen. Ergens zie ik de brutaliteit van mijn daden wel in maar dat inzicht kan me niet van m'n levensstijl weerhouden. Daarbij gebruik ik altijd condooms. Gelukkig heb ik nog nooit een geslachtsziekte gehad. Even afkloppen.

'Wat doe je, gekkie?'

'O, ik moest aan iets naars denken, dus meteen even afgeklopt. Ben je moe?' Floor begint een heel verhaal over een strafzaak, waarbij zij moest invallen voor een zieke collega die zijn voorbereiding niet goed had gedaan. In de tussentijd blijf ik maar mijmeren over hoe ik dit slechtnieuwsgesprek moet beginnen.

'Wat willen jullie drinken?' vraagt de bedrijfsleidster. Ik wijs naar mijn glas en zie Floor nadenken. Over tien seconden zal ze spa rood bestellen, zo gaat het altijd.

'Mag ik een fles bruis?'

'Natuurlijk, leuk dat jullie er weer zijn, mijn *favorite guests*.'

Er huppelt een kleuter naar onze tafel. In zijn ene hand houdt hij een smerig servet vast, in de andere een zwarte stift. Hij heeft een bol gezicht.

'Mag ik een handtekening, meneer?' Ik krabbel wat op het doekje en stuur het jongetje terug naar zijn ouders. Mijn lieve vriendin kijkt me aan, zichtbaar trots op alles wat ik heb bereikt. Daarna scrolt ze door het scherm van de tablet, op zoek naar vijf gerechten voor de eerste ronde. Als ze klaar is geeft ze het ding aan mij. Onze drankjes worden gebracht. Ik bestel kipvleugels, loempia's, ribeye, eendenborst en lamsrack.

'Waar wilde je over praten?'

Om mezelf moed in te drinken, tik ik het glas meteen achterover, ook in de hoop dat ik mijn geweten kan sussen, wat doorgaans wel lukt met een flinke dosis alcohol achter de kiezen. Ik druk eerst op de knop SERVICE.

'Er is iets verschrikkelijk gebeurd en ik vind dat je het moet weten.'

'O, ja...Vind jíj dat?' De gezichtsuitdrukking van Floor is compleet veranderd. Het brengt me in verwarring, eerst deed ze nog zo lief.

'Wat bedoel je?'

'Ik weet dat Lotte jou gisternacht met een ander heeft gezien. Ze heeft me meteen gebeld.'

'Maar ik zou het zelf vertellen, dat hebben we afgesproken.'

'Blijkbaar vertrouwt ze je niet.' Floor leunt achterover en staart me aan, de uitdrukking op haar gezicht kan ik niet goed plaatsen, of ze nu boos of verdrietig is, het is me een raadsel.

'Wat nu? Wil je bij me weg?' vraag ik.

De eerste sushiplankjes bereiken onze tafel. Zwijgend peuzelt zij de rollen op. Ik voel mijn hart sneller kloppen en zweet heel erg, vooral op mijn rug.

'Nou?' vraag ik. 'Zeg het maar gewoon. Ik weet dat ik het heb verdiend.'

'Zie je dat meisje van gisternacht vaker?'

Ik denk even na voor ik antwoord geef. Dit kan een valstrik zijn, een poging om mijn leugens te ontmaskeren. Of zou ze het echt niet weten?

'Nee, we hebben elkaar gister voor het eerst ontmoet.'

Floor buigt naar de grond en trekt stapels papier uit haar aktetas die bij elkaar worden gehouden door een dik elastiek. Ze drukt de bundel in mijn hand.

'Dit zijn de gesprekken die jij het afgelopen halfjaar hebt gevoerd. Wist je dat je met de juiste connecties een telefoon heel eenvoudig kan laten uitlezen? Hij hoeft maar een half uur aan een apparaat en klaar is Kees.'

Ik blader door de documenten en zie om en om de nummers van Chandra en Laura. Er staat zelfs het tijdstip van bellen bij, vaak 's nachts als Floor al op één oor lag.

'Goed, je hebt me. Ik heb een affaire...'

'Twee affaires,' valt ze me in de rede. 'Daarom wilde je natuurlijk niet samenwonen, zodat je lekker kon rondneuken zonder verantwoording af te hoeven leggen.'

'Het spijt me, goed? Ik weet dat ik fout zit. We gaan lekker eten, maak alsjeblieft geen scene, en daarna houdt deze relatie op, hoe moeilijk ik dat ook vind.'

'Pardon? Dus eerst ga je vreemd en dan maak je het uit?'

'Ik snap het niet...Wil jij dan bij me blijven?'

Floor pakt de papieren en stopt die terug in haar tas. Misschien ligt het aan mij, maar voor mijn gevoel kijkt iedereen in het restaurant naar ons, stiekem, als we met elkaar praten. Het is duidelijk dat ze iets van plan is. Normaal ben ik de dominante partij in onze gesprekken, nu heb ik helemaal niets te zeggen.

'Ik wil met je verder op een paar voorwaarden: je dumpt nu meteen die twee wijven, aan deze tafel, anders bel ik ze zelf op, en geloof me, dat wordt geen pretje. Daarbij gaan we samenwonen en beginnen we aan kinderen, daar ben ik nu wel aan toe.'

'Maar...'

'Niks geen maar... Dit is wat ik wil. Ga je akkoord of niet?'

'Zo snel kan ik toch niet beslissen, geef me wat tijd!'

'We doen het op mijn manier. Graag of niet.'

Ik trek mijn telefoon uit mijn broekzak, open WhatsApp en stuur zowel Chandra als Laura hetzelfde bericht:

IK WEET DAT HET LAF IS OP DEZE MANIER, MAAR IK HEB GOED NAGEDACHT EN KAN NIET VERDER MET ONZE RELATIE. IK HOOP DAT JE HET BEGRIJPT. X.

Floor grist de telefoon uit mijn hand en kijkt naar de berichten. 'Braaf,' zegt ze. Daarna doet ze iets in de contactenlijst. Later zou ik ontdekken dat ze de nummers van andere meisjes had gewist, ook van vrouwen die ze niet kende, van wie sommige zakelijke contacten waren, met wie ik helemaal niet rotzooide.

Vreemd genoeg klaart ze meteen op na deze daad, alsof het niks is, een vriend die stelselmatig vreemdgaat... Maar als ik er nog eens goed over nadenk, begrijp ik dat ze het verdriet van de ontdekking al veel eerder had verwerkt. Nu wil ze een oplossing, en die is gekomen. We eten rustig door, vierde rondes, dat vinden we beiden wel genoeg.

Ik reken af, help Floor haar jas in en draag haar aktetas. De voordeur wordt geopend door de bedrijfsleidster, die me uitdagend aankijkt als ik voor haar sta.

'Heb je ook iets met dit wijf gedaan?' vraagt Floor.

Ik haal het papiertje met de verlopen cijfers uit mijn kontzak en geeft dat aan mijn vriendin. Ze scheurt het een paar keer en gooit de snippers over het hoofd van de bedrijfsleidster.

'Zoek je eigen vent, hoer.'

Sticks

Ontmoeting met K.F.

Zodra ST binnenstapt, ijzige stilte
Gold Beyond Marlboro iceball Filters
Ze knijpen 'm
Hij is leip met de pen
En de denkwijze waarin een klein verschil zit
Maar ik was daar niet voor die rap-praat ik was,
Daar omdat een dame er die avond was
Ze had die middag opgebeld
Gesprek gemist,
Ze stond op mijn voicemail
'Zin om af te spreken zo rond de klok van elf?'
Ik lag op de bank, kleedde me om,
De reden waarom:
Iets in haar sparkte interesse bij mij
Deed mijn Sparky trui aan, Desert boot erbij
Stapte de wagen in, gaspedaal in
Een jongeman op stap de avond in
Aangekomen daar; Cafe De Beurs
De ober deed de deur voor me open en de geur
Van sigarettenrook snoof ik op
Hier doen ze duidelijk niet aan het rookverbod
Ze zat er al.
'Heb ik je laten wachten?'

Ze zei: 'Een minuut of tien, maar dat maakt niet uit dat
mag nog'
Gevat, daar hou ik van
'hoe is 't?'
Ze zei 'Goed, blij dat je er bent, ik heb er zin in'
Ik zei 'Cool, wat drink je'
Zij zei: 'Rode wijn'
Ik wenkte de ober zo van 'Ik denk dat we zover zijn'
Shit was officieel als een watermerk
Ze zag er goed uit, gebruind, d'r haar geverfd
Ze kwam net terug uit Miami het vorige weekend
Ik dacht: vandaar die tas van Victoria's Secret
We dronken twee wijn, praatten wat
Later vertelde ze mij hoe verbaasd ze was
'Want rappers doen altijd stoer, hebben geen respect
Voor vrouwen in hun videoclips en raps'
Ik zei 'De een is de ander niet,
en ik ben de een die zorgt dat je anders ziet'
De tijd vliegt voorbij
Dagen worden weken
Twee verschillende wezens
Komen meer overeen dan ze konden weten
Ping Blackberry spelletjes
Ze zei me dat ze hard ging op die Shabazz Palaces
Vond ik dope, net als haar fotografie
jaaa, in het begin had ik een beetje moeite met
monogamie
Kijk: ik pakte vrijheid, zij was geduldig
Dat deed me inzien dat ze echt wat wilde
En ik ben een nette man als het er op aan komt
Maar als iemand bij haar komt, ben ik net een waakhond!
Nee joh, we snappen 't allebei

snappen elkaar
dus alles is voor elkaar
Snapje, alles is voor elkaar

Marten Mantel

De Landing

Krnnmmmglllr?

Het was half zes 's ochtends en Vincent lag op zijn zij, zodat hij in elk geval nog het topje van zijn enorme buik kon bedekken onder het stukje laken dat zijn vrouw nog niet voor zichzelf had opgeëist. Hij had het koud. Het was juni, maar het was juni op Texel. Vincent deed hard zijn best om zichzelf ervan te overtuigen dat het de kou was die hem wakker hield, en niet de gapende leegte in zijn buik.

Het was geen moeilijke vraag die zijn maag hem daar stelde. Maar de eigenaar van het verteringsorgaan in kwestie ging er niet op in. Hij had de vraag heus wel gehoord. En hij wist precies wat het antwoord was – het antwoord was namelijk om allerlei soorten eten in zijn gezicht te schuiven, en dan het liefst een onnodig grote hoeveelheid. Maar dat kon niet, want dat mocht niet, en er was bovendien niks in huis. Behalve dan de klonterige laag tomatensoep op het gezicht van zijn vrouw, die naast hem lag.

'Het bevat allemaal natuurlijke anti-oxidanten en ook hartstikke veel hydraterende bestanddelen,' had Marieke hem gisteravond in de badkamer verteld. Hij was zijn tanden aan het poetsen, zij stond naast hem met haar hand in een blik tomatensoep van het huismerk van de Slibbel. Het was het enige eten wat ze in huis hadden, en dat belandde nu op haar gezicht en in de gootsteen. 'Dat had lavendelgirl82 op het forum van Beauty4u gepost. Het biedt een natuurlijke bescherming voor een bepaalde balans die je huid hoort te hebben enzo,' vervolgde ze. Vincent kon zich nog nauwelijks verbazen over de volledig uit de hand gelopen schoonheidsobsessie van zijn vrouw, en had ongeïnteresseerd zijn tandpastamond leeggespuugd over de stukjes taugé in de wasbak.

Krnnmnmmglrrllr.

Vincent ging rechtop in bed zitten en keek naar het slapende, met een korst van tomatensoep bedekte gezicht van zijn vrouw. Langzaam bewoog hij zijn hand naar het halve stukje soepbal dat verleidelijk boven haar linkeroog balanceerde. Zijn vingers stonden op het punt om het grijzige stukje vlees uit haar wenkbrauw te plukken, toen Marieke een plotseling snurkgeluid maakte – ze klonk als hoe een varken zou klinken als die werd afgesneden in het verkeer. Hij liet zijn vingers hun missie staken, want hij wilde niet riskeren dat ze wakker zou worden. Als zijn vrouw hem zou betrappen met voedsel waar ze niet vooraf haar toestemming voor had verleend, dan zou ze zijn ogen eruit krabben met haar scherpe, perfect gehydrateerde nagels.

Krrnnmmmglllrrrrrr!!!

Zijn maag leek nu dreigend te grommen naar de andere organen in Vincents buik, en duidelijk te willen maken dat hij niet bang was er eentje om te leggen zodra de nood te hoog werd.

Maar er was niks wat Vincent kon doen. Er was geen eten in huis, daar had zijn vrouw wel voor gezorgd. Ze had hem op een dieet gezet: een dieet dat naast vet ook al zijn levenslust verbrandde. Vincent hield van eten, en in de afgelopen weken was het enige voedsel dat Marieke in huis had toegestaan de ingrediënten voor haar minimalistische avondmaaltijden, die vooral als functie leken te hebben om te laten zien hoe hun servies er ook alweer uitzag.

De achterliggende reden voor dit dieet was de bruiloft van Vincents zus Angelique, die vandaag plaatsvond. Marieke en Angelique hadden een gezamenlijke hobby die ze met enige regelmaat uitoefenden: elkaar zonder duidelijke reden haten. Het was moeilijk voor Vincent dat zijn zus en zijn vrouw niet met elkaar op konden schieten, en hij besteedde dan ook een groot deel van zijn levensenergie aan het nuanceren van onderhuidse opmerkingen, het bagatelliseren van scheve blikken en het sussen van ruzietjes over onderwerpen als tijdstippen en saus.

Marieke wilde alles doen om ervoor te zorgen dat ze er op Angeliques bruiloft mooier uit zou zien dan de bruid zelf. 'Dat ze gaat trouwen wil toch niet zeggen dat ze de mooiste persoon op de bruiloft moet zijn?' had ze vorige week uitgelegd toen Vincent haar vroeg waarom ze een bos kattenhaar op haar gezicht had zitten.

Vincent moest er van zijn vrouw ook op zijn best uitzien op de bruiloft, en daarom op dieet. Hij wilde dat niet, maar er was weinig wat hij tegen Marieke kon beginnen. Hij had al lang geleden geleerd dat hij haar beweegredenen nooit overluid in twijfel moest trekken. Tegenspraak duldde ze nauwelijks, en ze had hem duidelijk gemaakt dat als hij zich niet aan zijn dieet hield, er wel eens zomaar stukjes van zijn geliefde modelvliegtuigjes kwijt zouden kunnen raken. Dat hij elke dag tijdens de middagpauze van zijn werk vijf kilometer heen en terug naar de Slibbel fietste voor een zak snoep, die hij dan helemaal leegat, hoefde ze dan ook niet te weten.

Krrrnnmmmmmmglr!!!!

De gedachte aan Tjoppers maakte zijn maag kwader dan ooit. Vincent zuchtte. Hij keek op tegen vandaag. Zijn zus ging trouwen, maar in plaats van dat hij zich kon verheugen op een feestelijke dag zou hij honger lijden. Er zou geen tijd zijn om even weg te glippen, want hij moest er de hele dag voor zorgen dat zijn vrouw zijn zus het leven niet zuur zou maken. Gelukkig had hij haar eerste poging tot het verpesten van Angeliques bruiloft een paar dagen geleden al in de kiem gesmoord.

Vincent had gemerkt dat Marieke telefonisch een bruidstaart aan het bestellen was. Dat was eigenlijk zijn taak, en hij wist niet wat hij hoorde – had ze eindelijk beseft dat een bruiloft veel te belangrijk is om te besmetten met haar lompe pesterijtjes? Hij was dolblij dat Marieke haar wrok voor zijn kleine zusje eindelijk achter zich had gelaten, en haar de probleemloze bruiloft gunde die ze verdiende. Het idee dat de relatie tussen de twee belangrijkste vrouwen in zijn leven zich wellicht zou ontwikkelen tot meer dan de passief-agressieve pseudotolerantie die het nu was – en dat was als je er optimistisch naar keek – vulde zijn hart met een gevoel dat normaal gesproken alleen een zak Tjoppers hem kon geven.

'Kunt u hem dan donderdag bezorgen? De bruiloft is vrijdag,' had Marieke gevraagd. Ze keek ondertussen in de reflectie van de magnetrondeur en zette een van de sardientjes op haar wang recht. 'Zo'n gelaagde, zoals in uw etalage. Eh, ik weet niet, wacht even.' Ze richtte zich tot Vincent. 'Wat is Angeliques lievelingstaart?'

'Chocolade,' antwoordde Vincent.

'Chocolade,' herhaalde Marieke in de telefoon. 'En waar was ze ook alweer allergisch voor, Vincent?' vroeg ze hem.

'Gluten,' antwoordde Vincent, bijna ontroerd dat zijn vrouw zelfs rekening hield met de allergie van zijn zus. Als Angelique gluten at gingen haar oogleden binnenstebuiten staan, zwol haar tong op tot een zware lap vlees en kreeg haar gezicht een kleur die God meestal exclusief gebruikte voor de aurora borealis.

Er klom een griezelig klein glimlachje over Mariekes gezicht heen. 'En rasp er flink wat gluten doorheen alstublieft, of hoe dat ook werkt. Extra veel gluten graag.'

Vincent voelde hoe zijn hoop in het gezicht werd geslagen door een boze spijker.

Krnnmmglr...

Het leek alsof zijn maag hem nu iets probeerde te vertellen.

Maar wat dan?

En toen wist hij het.

Vincent wist dat als hij in opstand zou komen tegen Mariekes met gluten bewapende bestelling, zij er gewoon stiekem nog een zou laten maken. Hij had er dus niks van gezegd en besloot Mariekes taart weg te gooien zodra deze bezorgd werd en het te laat was om een nieuwe te bestellen. De bruidstaart lag nu dan ook buiten in de vuilcontainer, in al zijn in chocoladesaus gedrenkte glorie.

KRNNMMMMMMGGGLRRRRR!!!!

Marieke draaide zich op haar rug, en trok daarmee het laatste stukje laken van zijn buik. Dit moest een teken zijn, of op zijn minst was het gewoon handig.

Vincent klom het bed uit en sloop geruisloos richting de slaapkamerdeur, zijn ogen gericht op zijn nu volledig in het zwarte laken gewikkelde vrouw. Ze lag vredig te slapen op haar rug en hij zag hoe een sliertje vermicelli onder haar neus steeds op het ritme van haar ademhaling de lucht in werd geblazen. Hij opende de deur en liep de donkere gang op. Zachtjes sloot hij de deur achter zich. Hij deed het licht aan en liep op zijn blote voeten door de gang in de richting van de achterdeur, waar de vuilcontainer buiten stond. Het idee van het romige calorieënmonster dat hij straks in elk geval deels in zijn gezicht zou laten verdwijnen zorgde ervoor dat hij door de gang wilde huppelen, maar hij liep rustig op zijn tenen om te voorkomen dat zijn vrouw wakker zou worden. Dat bleek geen enkel nut te hebben, want toen hij halverwege de gang was klonk er een luid, schriekend gekrijs door het huis.

'Raaah! Cumuluswolken aan de kust! Raaah!'

Hij was de papegaai vergeten.

De papegaai was nieuw. Decennialang was hij het huisdier geweest van Mariekes oom Herbert, die in de afgelopen maanden ernstig ziek was geworden. Marieke had hem in de weken voor zijn onvermijdelijke dood regelmatig opgezocht in zijn landhuis bij Den Hoorn om zijn verpleegkundige personeel bij te staan in de zorg – niet omdat ze het zo goed met haar oude oom kon vinden, maar omdat ze het vermoeden had dat ze een hechte vriendschap op zou kunnen bouwen met zijn enorme fortuin.

Marieke hoopte dat haar oom naar aanleiding van haar zorgzaamheid zijn testament in de dagen voor zijn dood zou wijzigen, en dat had hij inderdaad gedaan. Toen oom Herbert eerder deze week overleden was en Marieke niet veel later naar zijn landhuis werd gesommeerd om haar erfenis in ontvangst te nemen, bleek dat Herbert zo onder de indruk was geweest van de zorg die Marieke hem had geboden dat hij had besloten haar de voogdij te geven over zijn papegaai.

De oude, groene papegaai was het eeuwige gezelschap van oom Herbert, die een van de eerste weermannen van Nederland was geweest. Laatstgenoemde had nooit geaccepteerd dat zijn gloriedagen voorbij waren gegaan, waardoor hij al zo lang als Marieke zich herinnerde elke avond om vijf voor half negen thuis het weerbericht presenteerde aan wie het maar wilde, wat meestal niemand was. Zijn papegaai had echter altijd leergierig vanaf de globe op Herberts bureau toegekeken hoe zijn baasje zijn weersvoorspellingen reclameerde.

Marieke was teleurgesteld en boos om deze erfenis, maar ze zou moeten wachten tot na de bruiloft om te bedenken hoe ze van het beest af kon komen en welk financieel voordeel ze er nog uit kon halen. Ze had een veel te kleine, voor een parkiet bedoelde kooi gekocht in de kringloopwinkel, de vogel daarin gepropt en hem voor nu maar even op een tafeltje in de gang gezet. De papegaai zat daar de hele dag ineengedoken naar buiten te turen met het beetje zicht dat hij nog had, en uitte zijn onvrede tegen elke schim die hij zijn kooi zag passeren, en wel aan de hand van een willekeurige weersvoorspelling.

'Raaah! Raaah! Cumuluswolken aan de kust! Raaah!' herhaalde de vogel, alsof hij bang was dat Vincent hem de eerste keer niet goed had verstaan. De papegaai paste alleen in de kooi als hij zijn kop voortdurend gebogen hield. Zijn claustrofobische treurnis sijpelde uit zijn natte, wazige ogen.

Vincent was zo geschrokken dat hij tegen de gangkast aan de overkant van de papegaai was gevallen. Hij hoorde er iets vanaf vallen, en zag met pijn in zijn hart dat het zijn favoriete modelvliegtuigje was, die daar jaren een trotse plek had ingenomen en nu in tientallen stukjes op de grond lag. Hij liet zijn hoofd vallen, vloekte een inwendige vloek en nam toen zijn bruisende gebrek aan goede opties in overweging.

Eerst moest hij weten of Marieke nog sliep. Hij trippelde terug naar de slaapkamer, opende de deur en tuurde naar binnen. Hij zag tot zijn opluchting dat Marieke nog in dezelfde houding lag als toen hij de kamer had verlaten, en dat het sliertje vermicelli onder haar neus nog altijd danste op het kalme ritme van haar ademhaling.

Even overwoog Vincent om dit project te laten voor wat het was, maar zijn maag zou hem dat nooit vergeven. Hij sloot de deur weer en dacht na. De papegaai reageerde op de schimmen die hem passeerden, dus als hij het licht uit zou doen, zou de papegaai hem ook niet bedreigen met weersvoorspellingen.

Hij deed het ganglicht uit en sloop zo stil mogelijk op zijn blote voeten door de gang. Het was donker en hij zag geen hand voor ogen, noch een voet, noch welk lichaamsdeel dan ook, maar wist zich op de tast in de richting van de achterdeur te begeven. Stap voor geruisloze stap en zonder te durven ademen bewoog hij zich door de gang heen, tot hij aan zijn rechterkant iets hoorde wat leek op het schudden van een vleugel. Hij dacht in de duisternis twee glazige kralen te zien die hard op zoek waren naar iets om tegen te krijsen. Vincent bleef enkele seconden geruisloos stilstaan, tot hij de moed had verzameld om een volgende stap te zetten. Het bleef stil. Opgelucht ademde hij uit en vervolgde zijn weg, en wel door zijn blote voet met zijn volle gewicht op de staart van het stuk gevallen modelvliegtuigje te zetten.

'AAAAAAmmmmm!' Hij had halverwege de brul zijn mond met zijn hand bedekt.

'Raaah! Onweer in Almere! Raaah!', antwoordde de vogel, kort maar luid, luider dan net, en schril, schriller dan net, en luid, zo luid.

Vincent stond weer als bevroren in de gang, vrezend dat zijn vrouw deze keer wel wakker geworden zou zijn van het verschrikkelijke gekrijs, of anders wel van de papegaai. Hij keek wanhopig naar de andere kant van de gang. Er was niets te zien, tot plotseling het ganglicht aanging. In de opening van de slaapkamerdeur stond zijn vrouw. De laag tomatensoep kon de irritatie in haar gezicht niet verbergen.

'Wat doe je?' vroeg ze, versuft door de slaap, maar teleurgesteld als altijd.

'Ik eh... ik moest plassen. Dat is alles.'

'Maar de wc is hier.' Ze maakte een ongeïnspireerd gebaar naar de deur naast haar.

'Oh ja, dat is ook zo.'

Zijn vrouw fronste, waardoor het stukje gehaktbal in haar wenkbrauw op de grond viel.

'Vincent, je weet hoe belangrijk vandaag voor me is. Ik heb mijn rust nodig, ik moet er goed uitzien. Je zus, je weet dit, ze is kut, ik haat haar, ik moet mooier zijn dan zij, we hebben het hier over gehad.'

Vincent had haar dit nog nooit zo letterlijk horen zeggen. Hij liep weer terug de gang door en negeerde de hevige windstoten die de papegaai bij het passeren voorspelde voor Zeeland. Hij ging voor de vorm de wc in, deed daar een niet onverdienstelijke imitatie van iemand die plast en ging terug naar bed.

Krrrrrrrrrrrrrrrrrnnmmmmgggllllllrrrrrrrrrrrrrrrrrrrrrrrr...

Hij was nog niet van plan het op te geven. Dit zou hem gaan lukken. Hij zou de buitendeur bereiken. Maar hoe? Met het ganglicht aan kon hij de papegaai niet passeren zonder dat die zou gaan krijsen, maar met het ganglicht uit zou het hem niet lukken zonder dat hij zelf zou gaan krijsen door het mijnenveld aan stukjes modelvliegtuig. Hij moest ervoor zien te zorgen dat hij zelf kon zien, maar de papegaai niet.

Hij keek naar de slapende vrouw naast hem, en kreeg een idee.

Hij stapte het bed weer uit en liep naar Mariekes kant. Hij pakte het laken vast bij de uiteindes en trok deze voorzichtig naar zich toe, zodat zijn vrouw zachtjes van haar kussen rolde, verder het bed op. Vincent propte het laken onder zijn arm en liep stilletjes de gang weer op.

Het ganglicht liet hij uit. Op de tast baande hij zich opnieuw een voorzichtige weg door de donkere gang, tot zijn vingers de vogelkooi hadden gevonden. Hij haalde het laken onder zijn arm vandaan en spreidde deze uit over de kooi, hopend dat de bijna blinde bewoner niets zou merken van deze extra behuizing van muf, zwart katoen. Het bleef gelukkig stil. Vincent sloop weer terug richting de slaapkamerdeur, deed het licht aan en zag hoe het laken de kooi in z'n geheel bedekte. Sierlijk was anders, en het laken bedekte naast de kooi ook een deel van de gangvloer, maar hij was dan ook geen goochelaarsassistente en had daar ook geen aspiraties toe.

Nog altijd even voorzichtig liep Vincent weer in de richting van de achterdeur. Hij passeerde zonder problemen de kooi, stapte tevreden over het laken en manoeuvreerde zijn voeten tussen de tientallen delen waarin het modelvliegtuig stuk gevallen was. Het aangezicht deed hem pijn, maar hij kon nu tenminste wel de achterdeur bereiken.

Hij deed de sjaal om die zijn moeder ooit voor hem had gebreid en opende de deur. Net zo nerveus als hongerig opende hij de container, die vlak naast de deur stond. Hij moest zich bedwingen om niet een verliefde kreet te slaken bij het zien van de monsterlijk grote, half ingestorte toren van donkerbruin culinair vakwerk.

Hij stak zijn handen in de taart en voelde hoe de romige vulling zijn vingers zachtjes streelde. Hij sloot zijn handpalmen, haalde zijn handen de taart weer uit en bracht die langzaam naar zijn mond. Er biggelde een traan over zijn wang. Eindelijk. Hij stond net op het punt een hap te nemen toen hij plotseling een luid gedender achter zich hoorde. Hij draaide zich om en liet van schrik het stuk taart vallen, dat met een zachte fletsj tussen zijn blote voeten landde.

Zijn vrouw lag languit op de gangvloer, haar voeten verstrikt in het zwarte laken dat hij over de vogelkooi had gegooid. Die kooi lag achter haar, en was door haar val van het tafeltje getrokken. De bewoner ervan was druk bezig om te achterhalen hoe zwaartekracht ook alweer werkte en welke rol hij in dat natuurkundige proces speelde.

Vincents mond stond open. Hij hield zijn knieën naar binnen gebogen en had zijn met slagroom bedekte handen opgestoken alsof hij overvallen werd. Hij zag hoe Marieke opkeek van de vloer. Er stak een stukje vleugel van het modelvliegtuig uit een wond naast haar oog, waar een dikke, donkerrode stroom bloed uitvloeide, die uitmondde in de rivier van bloed die uit haar in rap tempo opzwellende neus kwam. Voor haar op de grond lag een van haar voortanden. Vincent zag dat wat er uit haar ogen schoot woede was, en geen pijn.

'JIJ. JIJ. DIT KAN NIET. DIT MAG NIET. GEEN TAART, WE MOETEN ER GOED UITZIEN VANDAAG!' schreeuwde Marieke door het verse, gapende gat in haar mond. Ze probeerde een balans te vinden tussen het uiten van haar stomende woede en het op een sierlijke manier overeind komen, en had niet door wat er achter haar gebeurde. De papegaai had weer ontdekt wat boven en onder was, wist de opengevallen kooi te ontvluchten en kwam in een storm van vleugels op haar afgevlogen. Het beest scheurde een flinke pluk blond haar uit Mariekes schedel, krijste haar de verwachte kans op neerslag in Noord-Brabant toe en stormde in een woedend gefladder over Vincent heen, de deur uit.

Vincent volgde hem de lucht in, en hij zag hoe de vogel zichzelf omhoog stuwde, hoger en hoger, en hoe zijn groene verenkleed fonkelde in het ochtendlicht. Vincent voelde een verlangen om hem te volgen, de lucht in, weg van hier. De papegaai liet zijn vleugels rusten op de wind, zichtbaar genietend van de vrijheid die de blauwe Texelse lucht hem bood, tot hij geschept werd door een landend ruimteschip. Twee groene veren waren alles wat er van hem overbleef – ze dwarrelden langzaam naar beneden.

De Landing is het eerste hoofdstuk uit de debuutroman van Marten Mantel die in het najaar van 2013 bij uitgeverij Lebowski verschijnt.

Dankwoord

Achievers is wat mij betreft de eerste editie in een lange reeks. We hebben de ambitie onze ouderwetsche bundel toe te voegen aan het traditiegetrouwe lijstje ingrediënten die een zomer een zomer maken. Dus morgenochtend nemen we wederom de pen in de hand en schrijven we stug door in de strijd om het geschreven woord, gedrukt in het papieren boek, nimmer te doen sterven. Rest mij enkel nog de schone taak hier en daar iemand te bedanken, te beginnen met de letterknechten van je moeders favoriete boeken, Lebowski. De big boss daarvan, Oscar van Gelderen, omdat hij mij geheel terecht zo nu en dan terug naar huis stuurt met de mededeling dat beoogde deadlines niet gehaald gaan worden en ik verdomme eens een keer iets moet afmaken in plaats van aan drieëntwintig ideeën tegelijk werken. En in het bijzonder, ook van Lebowski, Marieke van der Mast. Want er staat op het omslag heel gezellig dat ik de samensteller van dit boek ben maar dat is natuurlijk een illusie. Zonder Marieke en haar corrigerende *bitch slaps* geen *Achievers*. Daarnaast het imperium van Kees de Koning, a.k.a. Top-Notch. En niet te vergeten, alle bijdragende schrijvers en artiesten.

Tot volgend jaar.

Dennis Storm